D0488875

LES YEUX DANS LES YEUX

Collection Pique Rouge

dirigée par Noëlle D. Mouska

♠

Février 2003

Illustration J.F. Rossi

1609, route de Saint-Bernard
06225 VALLAURIS Cedex
atout_ed@compuserve.com

ISBN 2-912742-33-1
ISSN 1283-2847

Jean-Paul HUSSON

LES YEUX DANS LES YEUX

Roman

ATOUT ÉDITIONS

à Noëlie…

La lampe large et flamboyante contemplait le visage de Mattieu, endormi sur la table d'opération. L'éclat de lumière à peine perceptible du laser pénétra l'œil de l'enfant.

Au-dessus des masques, les regards des chirurgiens s'excitaient de leur prouesse. On venait de présenter les cornées, et tandis que le brouillard réfrigéré se dissipait, micron après micron, la greffe suivait son cours.

Sur le carrelage de la salle d'attente, l'ombre d'une femme en sanglots s'allongeait jusqu'à un homme anxieux, assis au bout de la rangée de sièges. Julien serrait dans une main celle de sa fille, allongée en chien de fusil, de l'autre il caressait tendrement ses cheveux rouges d'adolescente.

À la nuit tombée, la femme n'avait pas cessé de pleurer. Pétrifiée devant le distributeur de café, la main tremblante, elle lança un regard de détresse à l'inconnu toujours assis contre sa fille endormie.

Dans l'ouverture du drap, l'enfant au visage d'ange respirait paisiblement. Ses yeux, effrayants, étaient déchirés, rouges. Ils avaient vu l'enfer. Dans les bacs de métal scintillaient des outils barbares. Autour de lui, les silhouettes vêtues d'un même tissu avaient l'air de sorciers affairés autour d'un miracle improbable.

Les hommes s'écartaient du billard et se congratulaient. La greffe serait sans doute un succès.

Recroquevillée sur les sièges, Isabelle ouvrit les yeux. Elle sentit tout de suite qu'il se passait quelque chose. Le regard plein de reconnaissance envers l'étranger, Alice buvait son café en se brûlant les lèvres. Derrière les verres sales de ses petites lunettes rondes, Julien, à peine plus petit qu'elle, dévisageait cette femme robuste mais désemparée. À sa première gorgée de café, Alice laissa échapper une grimace écœurée. Les adultes sourirent malgré eux.

Au-dehors, agglutinée au mur crépi de la clinique, la neige feutrait le silence. Les autos disparues sous l'hiver formaient une cohorte patiente autour de l'édifice. Entre les arbres écrasés de blanc, pas une empreinte sur le sol, tout n'était que recueillement.

Au-dedans, des vies se croisaient.

Assise entre le père et la fille, Alice, son gobelet vide entre ses doigts, parlait d'une voix grave et cassée.

— C'est injuste. Je ne sais pas pourquoi je suis encore vivante. Ils sont morts sur le coup tous les deux. Mon mari... ma fille...

— Quel âge elle avait ? demanda Isabelle.

Alice sembla s'apercevoir seulement de sa présence.

— Elle allait sur ses dix ans...

Julien remarqua les mains peu soignées, les bijoux de pacotille, la coloration maladroite des cheveux tombant sur les épaules. Isabelle surprit un éclat lointain dans l'œil de son père. Elle défia l'inconnue.

— Moi, quand j'étais petite, ma mère est morte dans un accident, et mon frère a perdu la vue. Ils sont en train de l'opérer. Ça faisait des années qu'on attendait un donneur...

À ces mots, elle s'interrompit et resta interdite en devinant l'effroi soudain sur le visage de la femme.

♠

Tout le monde a peur du noir.

Curieusement, du jour où il s'était retrouvé dans le noir, Mattieu avait cessé d'avoir peur. Tout était devenu plus facile. Peut-être n'était-ce que pour effacer la dernière image, celle du chaos et de la douleur.

La perte insupportable de maman.

— Mattieu appelle les étoiles, Mattieu appelle les étoiles...Est-ce que vous me recevez ?

À quelques mois de ses dix ans, sa mémoire se nourrissait de cette complicité avec le ciel. Trillons de feux scintillants la nuit, invisibles le jour. Entre les cieux et le petit aveugle s'était tissé depuis des années un lien qui ne surprenait plus les siens.

— Mattieu appelle les étoiles...

Il savait que lever ainsi la tête lui rappelait cet instant, où, pour un furtif baiser, sa mère avait une seconde lâché le volant...

« *Regarde-moi dans les yeux mon amour...* » lui murmurait le ciel. Dans le souvenir de la voix persistait l'image de sa mère penchée vers lui.

Aveugle.

Depuis l'accident, le trait blanc sautillant de sa canne fouillait le néant. Dans la paume de sa main, il possédait plusieurs mondes. Un sens en moins, et les autres n'étaient plus qu'un seul. Certains sons devenaient les odeurs de certaines formes. Derrière les bruits se cachaient d'autres bruits. Sa main, sa peau, chaque respiration, et même ses inutiles battements de paupières étaient le réceptacle de mille évènements. Les voyants, eux, ne voyaient que ce qu'ils voulaient bien voir.

Abandonné à son monde intérieur, Mattieu laissait le pointillé sonore de son errance apprendre l'espace. Le bruit le plus doux au monde, la pluie sur la surface de l'eau en traînées de pluie. La voix douce de la pluie caressant son cœur d'enfant.

« Regarde-moi dans les yeux mon amour… »

Or il faut bien ressurgir, se hisser hors des profondeurs de l'eau la plus noire. Un jour, de l'obscurité, nous remontons à la surface mouvante où chantonnent les lèvres closes d'une berceuse. Cette surface criblée de la pluie la plus cinglante, notre vie silencieuse, derrière laquelle gémit notre petite enfance. Enfin, nous émergeons de l'eau sous une pluie d'étoiles.

Assis dans son lit blanc, impassible, deux rondelles de coton croisées de sparadrap sur les yeux, Mattieu ne pouvait s'empêcher de humer l'air comme un jeune animal à la merci de tout.

— Papa, ça gratte. On les enlève maintenant ?

— Ne touche pas, laisse faire le docteur, dit Julien en lui retenant les mains.

Les yeux morts de son fils lui rappelaient parfois qu'il avait été lui aussi plongé dans le noir. Tant d'années perdues dans un monde opaque, à tenter de se redresser, de regarder, de sentir revenir la vie. Voir les cotons sur le visage de son fils le démangeait. Et si la lumière ne réapparaissait pas ?...

— Je vais revoir de la lumière ? questionna Mattieu le plus sérieusement du monde.

— Nous en avons déjà discuté Mattieu... Non ?

Méticuleusement, avec la pointe d'un scalpel, le médecin décollait les bandes de sparadrap en s'efforçant de lui parler de sa voix la plus douce.

— Tu n'avais que dix-huit mois quand tu as perdu la vue. Ton cerveau a oublié que tu avais des yeux. Il ne sait même plus que la lumière existe. Après une greffe de cornée, s'il n'y a pas de rejet de la part de l'organisme, il faut des mois pour que le cerveau réagisse aux premiers signaux.

— Quels signaux ? demanda Isabelle.

Patiemment, le médecin se tourna vers elle et lui montra le soleil qui perçait au coin du rideau.

— Tu as eu la chance d'avoir un donneur idéal. Mais il ne faut pas t'attendre à un miracle.

— Ça serait pourtant génial !

Sous les cotons apparurent deux paupières recroquevillées. À la fois le beau et affreux visage d'un nouveau-né, songea Julien.

Il cilla nerveusement et grogna :

— Ouvre grand, mon grand.

— J'ai un peu peur.

Et si ouvrir les yeux, c'était recommencer ? Tout recommencer depuis le début. Sa voix. Sa peau. Maman penchée sur moi. Le visage de maman.

« Regarde-moi dans les yeux mon amour »... murmurait son cœur.

— Sois courageux, insista son père qui ne dissimulait plus son angoisse.

Et l'enfant, de sa sagesse innée, de le rassurer.

— Ne t'inquiète pas tu sais, je ne serai pas plus malheureux.

« Malheureux »... ? Que ce mot subit parut incongru à Isabelle. Lui qui ne semblait souffrir en aucun cas de rien. Ce frère aux yeux morts qui n'avaient plus de larmes. Elle se rendit compte qu'elle n'avait jamais fait de lien entre sa cécité et le fait qu'il ne pleurait jamais. La tristesse avait-elle disparu avec sa vue ? Isabelle pleurait en cachette, comme ne le font pas les filles. Elle pleurait parfois son enfance, à qui la vie avait volé une mère, une confidente, une image d'avenir. Elle regarda ce frère à la vie mystérieuse, au sourire discret enfoui sous une grammaire de gestes évocateurs qu'eux seuls comprenaient. Son frère était l'amour de sa vie. Qu'il voie de nouveau lui paraissait impossible, elle en voudrait à mort à la science si l'espoir se révélait inutile.

Les cotons furent ôtés. Mattieu sentit l'air plus frais autour de ses orbites. Fugitivement, il devina une forme confuse penchée sur lui, presque agressive, nimbée de ce qui ressemblait peut-être à de la lumière. Puis le noir.

— Et voilà, je vois tout pareil qu'avant.

♠

La voiture, c'est facile. Ça gronde, ça fait pas peur, c'est le moteur qui raconte.

Cependant, à chaque fois qu'il devait monter en voiture, sa poitrine s'écrasait autour de son cœur. Mattieu n'avait jamais rechigné à remonter à cheval. Pour se remettre en confiance, il se forçait à être le premier à bord. Dans le silence du garage, sous la maison, il laissait sa cage thoracique se détendre, séchait machinalement ses paumes en frottant le tissu du fauteuil, scrutant au fond du silence tout ce qui se passait dans la maison.

Avec les années, il avait appris à lire les bruits et leurs absences. Les histoires sont toujours les mêmes. Les pas de ceux qui marchent, les voix de ceux qui parlent, les objets qu'on déplace, les portes, l'extérieur et l'intérieur, la réverbération propre à chaque saison.

Aujourd'hui, grand départ sous un soleil d'été ; l'atmosphère du dehors tremblait contre la porte du garage. L'habitacle sentait la tiédeur des vacances. Du coffre remontait l'effluve de ce qu'on y avait entassé : le caoutchouc des palmes, le pain pour le casse-croûte, le cuir des sacs, les trousses de toilettes, la crème à bronzer. Mattieu se sentait gonflé de tout cela, inventant pour chaque chose l'image absolue. Bébé, les seuls repères qu'il avait eu le temps de se forger étaient les couleurs, l'ombre et la lumière, ce qui se mangeait et qui était bon, certains sourires, certains visages, les voix de son père et de sa sœur.

Un pas léger de femme descendait vers le garage. À peine la portière ouverte, il identifia le craquement de ses articulations. Alice jeta son sac en paille sous le siège.

— Toujours prêt le premier, toi...

Elle se voulait tendre.

Nombre de ses copains avaient aussi une nouvelle maman. Isabelle faisait celle qui prenait les choses du bon côté. Elle lui avait expliqué que ces deux adultes blessés par la vie avaient eu la chance de se rencontrer. Alors, il ne fallait pas la leur gâcher.

Isabelle dit toujours le contraire de ce qu'elle pense, c'est plus fort qu'elle. Parfois les gestes trahissent la pensée. Cette femme s'était jetée à corps perdu dans leur famille. Une douloureuse tension transpirait des mots affectueux qu'Alice avait pour lui.

Avant qu'Alice ne le touche, Mattieu le sait. Elle tend le bras et l'air aussitôt est différent. Si c'est la paume, si c'est du bout des doigts, il le sait, la femme respire autrement.

— Comment tu te sens ?

Elle passe sa main sur son front, dans ses cheveux. Ça ressemble à une caresse de maman, c'est agréable.

— Laisse-moi te regarder un peu... Tu ne dis

rien… On ne sait jamais ce que tu penses…

S'il se laissait volontiers approcher, caresser, Mattieu n'avait aucun geste envers elle. Au fond de lui, sa pire crainte était de confondre un jour son visage au creux de ses paumes. Et si la lumière revenait ? Et si soudain tout s'écroulait ?

Très vite, Mattieu s'était senti investi d'une grande responsabilité. Ce corps étranger qui faisait désormais partie de lui, il tentait de l'accueillir au mieux, de le chérir, de le faire sien. Dans le fond, accepter de revoir par des yeux inconnus était courageux et généreux.

Les voix d'Isabelle et de son père surgirent dans le garage. Mattieu s'abandonna enfin au cocon, son dos se relâcha contre le fauteuil. Les claquements feutrés des portières. La clé de contact qui tourne, le grondement du moteur, devancé par le raclement de la porte du garage. Un sourire s'esquissa sur son visage impassible. « Il va le dire, il le dit toujours… »

— En route ! Mauvaise troupe !

Quand son père le lançait sur ce ton, c'était que tout allait bien. Presque. Et ça aussi c'était finalement une chose formidable que papa se sente mieux. Lui qui n'avait plus ri depuis des années. La première fois, ses enfants s'en étaient sentis terriblement blessés ; petit à petit, eux aussi s'étaient remis à rire avec lui. Il avait même repris ses recherches, et ses inventions ridicules pour un monde meilleur faisaient leur bonheur. Aux yeux des voyants, étrangement, ils ressemblaient à une famille.

♠

Tout le monde aime la lumière. Tout le monde voudrait renaître.

Du jour où il s'était retrouvé sans elle, Mattieu n'avait cessé de la guetter. Tout était devenu incertain. Mais peut-être n'était-ce que pour retrouver la première image, celle du chaos et de la douleur.

Le visage collé à la vitre arrière, les yeux de Mattieu étaient dissimulés derrière une paire de lunettes en carton.

— Le cœur, ça tremble.

— Qu'est-ce que tu dis p'tit frère ?

— Non, rien.

Il replia ses lunettes d'éclipse les remballa avec les autres dans une trappe de rangement.

Cette impression de liberté, cette main sur l'épaule qui vous pousse dans le dos, vous invite à profiter de ce qui est à venir, c'était exactement ce qui flottait dans l'habitacle, au moment où l'obscurité envahit le cocon.

— Tunnel ! s'exclama Mattieu en écoutant les raccords du bitume.

Pas de réponse, pas un regard vers l'enfant fier aux yeux neufs. Sur son visage glissaient les filandres lumineuses des néons du tunnel. Vexé, gêné soudain par les résonances des moteurs invisibles qu'ils croisaient dans le noir, Mattieu chaussa ses lunettes de sport. Grâce à ce look soigneusement étudié par sa sœur, il ne ressemblait plus à un aveugle. Il coiffa son casque stéréo et se laissa sombrer dans son seul vrai silence : la musique. Les airs d'opéras l'enchantaient. Ces voix incroyables aux mélodies poignantes lui contaient tant de miracles. Il avait toujours refusé qu'on lui apprennent les noms. Pour lui la musique était une. Savoir qu'il y avait un homme derrière chaque œuvre aurait gâché sa joie. Il ne comprenait pas les mots mais devinait qu'il s'agissait souvent d'amour et de douleur. Cette bulle bienfaisante l'enveloppait de ses bras fluides et sans heurts. Plus de vie extérieure à la sienne.

Le cocon filait vers la lumière cinglante au bout du tunnel qui n'en finissait pas. Sur leurs visages, on pouvait lire la nostalgie des vacances vécues ici ou là. Sur leurs doigts, on pouvait compter les instants de bonheur. Dans la pénombre, la gravité de leurs sourires s'accentuait. La greffe était officiellement une réussite, et ils n'avaient en tête qu'un seul espoir, inconcevable, écrasant.

« Dès fois, maman me parle encore. Elle dit que je ne dois pas avoir peur. Mais moi, je sais bien qu'un jour, la peur reviendra. »

Engourdis par le ronron du voyage, ils filaient sur l'autoroute vers une destination inconnue. Le bruit assourdi et régulier du moteur, le souffle du vent qui s'engouffre par les fenêtres. Ces sons-là, chaque passager du monospace les connaissait, les savourait, n'y pensait même pas. Julien, plus songeur que les autres, semblait concentré sur sa conduite. Comment le prendrait-elle, pensait-il, comment les enfants le vivraient-ils, Mattieu allait-il apprécier la surprise à sa juste valeur ? Depuis le temps... Sans s'en rendre compte, ses mains se resserraient autour du volant, tandis que son corps se remémorait les baisers, les caresses, les regards, et cet incroyable amour que dix ans plus tôt, sa femme et lui avaient partagé, une nuit, au bord du Lac Noir.

Isabelle releva la tête de sa carte routière, désappointée, comme peut l'être une adolescente dans la force de l'âge, elle perça le silence.

— C'est une plaisanterie...

Julien l'ignora. La remarque de sa fille annonçait un échange orageux. Il jeta un furtif coup d'œil en direction d'Alice et se rendit compte qu'elle ne réagissait pas, plus pensive qu'il n'y paraissait.

— C'est même pas un lac, c'est un étang ! reprit l'adorable emmerdeuse. J'espère que les canards auront de la conversation ! Pas un hameau à des kilomètres ! Pire que la jungle ! Et puis d'abord d'où ça sort cette idée de pèlerinage ?

Dans le rétroviseur, le regard de son père lui fit comprendre qu'elle en avait trop dit.

— Tu parles d'un mystère... bougonna-t-elle en se replongeant dans sa carte.

Elle reprit aussitôt en surveillant son frère blotti contre la portière.

— Un gâteau d'anniversaire, c'était plus simple.

— La discussion est close, gronda Julien.

— Discussion ? !... C'est toujours pareil avec toi. Tu fais des grands discours sur la liberté, à condition qu'on la ferme !

— Moins fort, ton frère dort.

Elle vit qu'Alice, sortie de ses pensées, les regardait tour à tour avec gentillesse.

Au creux de l'oreille du garçon, les voix se mélangeaient au vent et au moteur. Il se laissait bercer.

— Je parle comme je veux, à qui je veux, quand je veux.

— S'il te plaît ma chérie, susurra Julien, tu ne pourrais pas enlever tes piles de temps en temps, ça nous ferait des vacances.

Alice ne put s'empêcher d'intervenir.

— Je sais que ça ne me regarde pas, mais c'est toi, aussi, qui la provoque...

L'effet fut immédiat.

— Elle, on ne lui a rien demandé ! persifla Isabelle.

La baffe était prévisible. Julien se tordit le bras sans lâcher le volant, et ne réussit qu'à déchirer la carte déployée en paravent. Isabelle gloussa en continuant à se protéger.

— Tu me bats maintenant ?... On aura tout vu.

Julien regrettait déjà son geste.

La main d'Alice se posa sur sa cuisse pour le calmer.

— Vous devriez comprendre, tous les deux, que pour sa convalescence, il est important que Mattieu sente sa famille soudée autour de lui.

— Oh, ça va ! C'est pas parce qu'on se chamaille qu'on s'aime pas. Tu te chamaillais jamais avec ta fille, toi ?...

Elle savait qu'elle lui faisait mal. Alice la fixa avec un mélange de curiosité et de défi.

— En plus, voulut conclure Isabelle, vous lui avez bourré le crâne avec ce miracle à la gomme ! Si jamais il reste aveugle...

Elle s'attendait à une réaction de son père, rien ne vint. Elle passa la tête au-dessus de la carte : Julien lorgnait sur la jauge d'essence au plus bas. Alice le dévisagea jusqu'à ce qu'il la rassure.

— Ça va, on...

— Toujours à la limite, constata Alice.

— C'est tout papa, ça... Je le connais comme si je l'avais fait... Il est capable de faire exprès de tomber en panne, histoire de nous apprendre à survivre dans la jungle et tester tes inventions débiles !...

— Merci bien... Je pensais que tu avais une plus haute opinion de ton père... mes inventions ne sont pas toutes débiles !

Elle n'essaya pas de se rattraper. Quelques centaines de mètres de répit à peine et la voix derrière la carte reprenait :

— Le Lac Noir ?... Le Lac Noir... Je rêve... Si c'est

là-bas que vous avez fait des choses avec maman... ! Pas étonnant qu'il n'y voit plus rien.

Oubliant complètement sa conduite, Julien jeta un regard inquiet vers Alice. Le monospace fit un écart, au moment où un camping-car entamait son dépassement. Les carrosseries manquèrent se toucher. Alice et Isabelle poussèrent un cri qui sortit brutalement Mattieu de sa torpeur. Julien se rabattit de justesse. Avec un violent coup de klaxon, le camping-car s'éloigna en crachant un nuage noir.

Mattieu garda les yeux fermés, il n'avait pas bougé, toujours recroquevillé contre la portière. La peau moite, la respiration difficile, il respira le goût âcre du diesel dans ses narines et sa gorge. Sa mémoire sensorielle tentait de recoller les morceaux : les cris, le moteur grave aux tonalités métalliques, la sueur soudaine dans le dos de son père...

— Ils t'ont fait peur ... Pauvre p'tit frère...

— Non, ça va.

Elle tendait la main pour lui passer dans les cheveux, il l'intercepta avant qu'elle ne l'atteigne. Sans ouvrir les yeux, il la guida et se la passa sur son visage en souriant.

— Quand on va à la mer, plaisanta Isabelle, c'est du bouchon tout le long, c'est moins dangereux.

— Les bouchons c'est bon pour les moutons ! Pourquoi suivre le troupeau ? Là où je vous emmène, il n'y a presque pas de cons !

— On sera les seuls alors, quelle chance, tu vas pouvoir t'exprimer papa...

Mattieu haussa les épaules, se redressa et se colla à la fenêtre en ouvrant les yeux.

— Où on est ?...

— Nulle part, répondit sa sœur.

— Papa ? Le ciel est dégagé là-bas ? Tu es sûr qu'on pourra voir l'éclipse ?

— Bien sûr.

Soudain Isabelle cria brusquement :

— Tourne ! ! Tourne ! !

Une station-service. Trop tard. Non. Malgré leurs cris, Julien braqua inconsidérément pour rattraper la bretelle.

— Oh ! Dites ! Vous n'allez pas vous mettre à hurler chaque fois que je tourne le volant !

Mattieu, tombé entre les sièges, se laissa hisser par sa sœur, au bord du fou rire et lâcha avec humour :

— Change de lunettes papa, sinon c'est moi qui prends le volant...

♠

Dans la file de la cafétéria, tous les regards finissaient par se poser sur le visage de Mattieu. Droit comme un piquet, sur le qui-vive, l'enfant affichait un drôle de sourire satisfait. En l'observant, on pouvait déceler cette tension naturelle qui lui tirait toujours légèrement la tête en arrière.

Chuchotements d'enfants. Ça, il en avait l'habitude... Mattieu préférait se dire qu'il faisait des envieux. Sans doute sa dégaine de cow-boy, avec, à sa ceinture, son Mini-Disc et son appareil photo numérique. Il toisa les alentours, replia sa canne blanche télescopique, et la déposa sur son plateau vide. Derrière lui, poussant son plateau chargé à bloc, Isabelle grommela :

— Je prends des réserves, on sait jamais... Moi, me nourrir de racines ou de la pêche de papa, c'est pas mon truc. Et toi, tu ne prends rien ?

— J'attends les frites.

— Bon, ils avancent devant ? !

La voix d'un con, quelque part. Ça aussi, ils en avaient l'habitude.

Tandis que sa sœur cherchait à localiser l'indélicat,

Mattieu tendit la main vers la chaleur des plats. L'odeur des frites. Ç'est rassurant. Partout, c'est la même odeur de gras. De toutes les odeurs de cuisine c'était sa préférée, parce que les frites, on peut les manger avec les doigts. Béni soit l'inventeur des frites. Bénis soient tous les inventeurs comme son père, qui cherchaient à simplifier la vie. Dommage que les frites, Alice n'en fasse jamais. La cuisine, Alice, c'était pas son truc. D'ailleurs il se demandait bien ce que c'était "son truc" à cette femme entrée dans leur vie.

— Attention, c'est chaud mon bonhomme ! prévint le cuistot.

— Je sais, répondit Mattieu en fixant dans sa direction.

Alice et Isabelle devancèrent Mattieu pour saisir son assiette. À peine l'eurent-elles posée sur son plateau que les doigts de Mattieu commençaient à piocher dans ses frites.

Avec un gargouillement horrible, les pompes s'arrêtèrent en même temps. La main sur le pistolet, Julien observait le tuyau qui tremblait sur le sol comme un serpent à l'agonie. Le compteur marquait à peine une quinzaine de litres.

Après l'étonnement général, un mouvement de protestation se propagea de véhicule en véhicule. L'employé de la station, l'air désolé, trottinait entre les clients. Le brave gars au visage de mongolien fuyait les mécontents qui le dévisageaient comme s'il était la cause de tous leurs maux.

— Le ravitaillement est en route... Il y a des accidents, c'est les grands départs... La citerne est coincée dans les bouchons depuis ce matin...

Julien raccrocha sa pompe en ruminant.

— Ça commence bien...

À présent, l'aveugle ne perturbait plus la file d'attente des clients. Sa présence n'intéressait plus grand monde. Voir un aveugle de près, c'était finalement moins impressionnant qu'à la télé.

Son plateau buta contre celui d'Aline. Le crépitement des caisses lui révéla qu'il avait dépassé les desserts.

— Tu n'as pas pris de dessert ?

Trop tard.

— Non j'ai pas faim.

— Je te porte ton plateau ?

— Tu sais bien qu'il n'aime pas qu'on l'aide... intervint Isabelle.

— Si, si, je veux bien, y'a trop de monde.

Isabelle s'empara du plateau la première.

— Allez mon super frère, toi, trouve-nous une table libre.

Mattieu allongea sa canne d'un coup de poignet, et, sous le regard inquiet d'Alice, s'éloigna fièrement, obligeant sans le savoir la foule à s'écarter sur son passage. Isabelle, voyant la mine de sa belle-mère, la poussa vers la caisse.

— Tu sais pas y faire... Le prend pas mal, même papa sait jamais de quoi on a vraiment besoin.

Finissant de payer, Alice prit son ton de pédagogue. Elle n'arrivait pas à s'en défaire lorsqu'elle se sentait prise en défaut.

— Je crois que s'agissant de Mattieu, il y a des circonstances atténuantes, non ?

Isabelle scrutait le visage de sa belle-mère.

— Comment ça ?

— Les personnes atteintes de cécité...

— Les personnes ! ?

— Qui plus est un enfant... Les aveugles ont tendance à ne pas exprimer leurs besoins ou leurs désirs. Ton frère vit dans un monde auquel nous ne pouvons accéder... Le plus souvent, alors que nous croyons qu'il s'ouvre, il se referme au contraire...

— Où il est passé encore ?

Elles sourirent en l'apercevant entre les tables, tiré par une fillette de son âge.

Mattieu, aux anges, se laissait guider. Pendant quelques instants, il profita pleinement et lâcha prise. Peu importaient les obstacles, la main fraîche de la fillette le tenait délicatement mais fermement.

— Je vais te trouver un endroit tranquille.

Ils disparurent derrière les paravents en toc et les fleurs en plastiques. Assis à un groupe de tables désertes, un couple de gitans, silencieux et immobiles, leur tournait le dos. Une serveuse en train de nettoyer sa pile de plateaux leur fit les gros yeux avec un geste pour les chasser de là ; la petite lui tira la langue en aidant Mattieu à s'asseoir.

— Merci. On est près d'une fenêtre ?

— Oui… Tu es un enfant abandonné ?

— Mais non, mes parents arrivent.

Elle jeta un coup d'œil furtif aux gitans qui n'avaient pas réagi à leur arrivée. Ils les ignoraient souverainement en scrutant la baie vitrée. Ils étaient débraillés comme des estivants, cependant quelque chose dans leur attitude figée la mettait mal l'aise. La petite fille reprit :

— Ils ne s'occupent pas de toi tes parents ?

— Oh, c'est moi qui m'occupe d'eux. Comment tu t'appelles ?

En voyant arriver Isabelle et Alice, la petite fille balbutia un prénom, un au revoir, puis disparut dans la foule.

— Ça baigne Don Juan ? lui lança Isabelle.

— Elle est partie ? Elle me regarde ?

— Oui, répondit gentiment Alice.

— Menteuse.

Voitures chargées jusqu'à la gueule, caravanes, camping-cars, la file des véhicules en quête de carburant s'allongeait et encombrait l'entrée de la station.

— Vous êtes payé pour nous fournir de l'essence non ? Alors vous devez bien être capable de nous dire combien de temps on doit attendre !… On dirait que ça vous fait rire, le malheur des autres !

Retranché dans sa cabine de verre, le naïf employé dévisageait craintivement l'homme au crâne rasé qui avait pris la tête des conducteurs. Les mains gantées de cuir appuyées sur le comptoir, massif, les yeux dissimulés derrière ses larges Ray Ban, le balèze attendait une réponse de l'avorton.

— Et arrête-moi ce sourire de débile !

— Je ne souris pas monsieur, j'essaye simplement de rester aimable. Je suis aussi payé pour ça.

— Te fous pas de ma gueule…

— Je me suis déjà excusé monsieur, tout le monde est dans le même cas que vous…

— Qu'est-ce que tu en sais, de mon cas ? !

Julien, n'y tenant plus, s'approcha pour prendre la défense de l'employé.

— Il n'y est pour rien…

Faisant volte-face, l'autre le jaugea d'un regard à faire froid dans le dos.

— On vous a sonné ?

— Je voulais juste…

— Me piquer mon tour oui ! Avec votre gueule enfarinée, vous déboulez dans la station sans regarder, vous me passez sous le nez et vous me piquez mon essence !

— Qu'est-ce que vous racontez ? J'ai fait la queue comme tout le monde !

— Je vous ai vu ! Hé… fais gaffe… je t'ai à l'œil mon vieux.

— C'est faux, risqua l'employé, monsieur était avant vous, j'ai très bien vu…

— Toi le mongol reste dans ta cage !

Un froid tomba sur l'assistance. Les clients, embarrassés, retournèrent à leurs véhicules.

L'employé, la main sur la poignée, débordait d'envie de mettre son poing dans la figure de l'odieux qui n'attendait que ça. Julien s'interposa de nouveau.

— Écoutez, c'est ridicule… c'est juste un peu d'essence… et puis c'est les vacances...

Sans sourciller, l'employé lâcha la poignée et s'adressa ostensiblement à Julien.

— La prochaine station est à soixante kilomètres.

— Soixante… Tant que ça… Je comptais quitter l'autoroute bien avant...

— Je crois qu'il y a encore une vieille station sur la nationale…

Se désintéressant de leur cas, le jeune homme se contenta de griffonner au marqueur "plus d'essence" sur la vitre et s'éloigna vers les garages.

Julien frémit en entendant la voix sourde dans son dos.

— T'es le bon samaritain toi, pas vrai ?

Julien, surpris par le regard scrutateur, ne savait pas trop quoi répondre.

— Quand on voyage, on croise toujours un bon samaritain…

Julien claqua la portière et se remit au volant tandis que l'homme furetait du regard à l'intérieur.

— Le genre à prendre la défense du monde entier, je me trompe ? Ça donnerait son sang au premier venu les yeux bandés, je parie...

Julien cherchait à démarrer pour se débarrasser de lui au plus vite, mais il se rendit compte qu'il avait oublié ses clés sur la trappe du réservoir. Eugène lui fit signe de ne pas bouger avec un sourire et s'éloigna vers l'arrière. Julien observa sa dégaine : la parfaite caricature du touriste primitif, bruyant, et fier de sa connerie.

— Merci.

L'autre gardait les clés dans sa main...

— Ça c'est de la bagnole... confortable, spacieux... On emmène sa tribu en congés ?... On est heureux dans son petit cocon à roulettes ?

Le genre d'emmerdeur à s'incruster et à vous pourrir la vie. Marre de ce con.

— Qu'est-ce que ça peut vous faire ?

Julien attrapa les clés, démarra vivement, et le monospace disparut derrière la cafétéria.

En contournant le bâtiment, Julien aperçut son emmerdeur se diriger vers un énorme camping-car flambant neuf dans lequel l'attendait la silhouette d'une femme. Tous ces engins se ressemblaient, mais il reconnut immédiatement celui qu'il avait failli heurter sur la route.

Le type sortit un jerricane en tôle, et sous le regard outré des autres clients, en versa tout le contenu dans son réservoir. Julien, médusé, ne put s'empêcher de sourire devant tant de bêtise.

♠

Le couteau sans fil d'Alice s'acharnait sur la viande de Mattieu.

— Qu'est-ce qu'il fabrique votre père, encore...?

— Tu crois qu'il me laissera conduire un peu ? demanda Isabelle.

— Bien sûr. Si tu lui demandes gentiment.

Avait-elle l'habitude d'être désagréable !... Isabelle planta sur la carte le drapeau de cuisson de son steak à l'emplacement du Lac Noir : une petite tache bleue perdue au milieu d'une immensité de vert sans la moindre agglomération. Une assiette de légumes surgit au-dessus de la région.

— Originale ta nappe... plaisanta Julien en s'asseyant en face d'elle.

Il siffla, impressionné par les gâteaux.

— Tu crois que tu auras assez de desserts...?

— Tout le monde n'a pas ta chance d'être végétarien. Et puis j'ai décidé d'arrêter mon régime pendant les vacances.

Ils s'exclamèrent en même temps :

— Tu faisais un régime ! ?

— T'es pas grosse, tempéra Mattieu.

— Qu'est-ce que t'en sais ?

— Les grosses, elles sentent.

Ils eurent un bref regard gêné ; heureusement, pas de grosse dans les parages… Ils étaient presque seuls dans ce coin. La serveuse qui nettoyait les tables en les surveillant d'un air curieusement angoissé, et ce couple de gitans indifférents à leur présence.

Ses frites terminées, Mattieu s'imprégnait de l'endroit. Le vrombissement étouffé de l'autoroute. Quelques éclats de voix ici et là. Insidieusement, l'atmosphère qui pesait sur la cafétéria le rendait mal à l'aise.

Isabelle ne supportait pas les silences.

— Bonjour l'ambiance. Ils pourraient mettre de la musique.

C'était ça ! Mattieu réalisa qu'il n'y avait pas de musique en sourdine, d'habitude ils en mettent dans ce genre d'endroit. C'était cette absence qui rendait le repas étrange.

— Ça y est, tu as pris de l'essence ? demanda Alice en lui caressant la main.

— Mm…

L'air ailleurs, Julien mâchait ses légumes sans sauce.

— Je suis sûr que personne n'y a encore jamais pensé…!

Les trois têtes surprises se tournèrent vers Julien, et comprenant qu'il allait pondre une idée géniale, acquiescèrent mollement avant de replonger dans leurs assiettes.

— Des nappes touristiques et culturelles ! C'est original, c'est utile, et certains pourraient même trouver ça joli. Le marché est immense... Chaque région, chaque commune, pourrait avoir sa nappe. Il suffit de trouver un éditeur et de... Non ?... Non ? Qu'est-ce que vous en pensez ?

Alice était en train d'interroger sa messagerie. Par jeu, il essaya de lui attraper son téléphone

— Va-can-ces... ma chérie... tu sais ce que ça signifie ?

« Vous avez... 18 messages... » perçut Mattieu, tout en jouant machinalement avec les morceaux de viande qu'il avait à peine touchés. Isabelle mangeait comme quatre. Julien dégustait ses petits pois en observant la file de plus en plus compacte des véhicules en mal de carburant. Alice avait déjà fini et tapotait nerveusement sur son téléphone.

Soudain, Mattieu sursauta d'une manière exagérée. Une fourchette venait de tomber de la table des gitans. L'homme leur tournait toujours le dos, voûté. En face de lui, sa femme, pâle, le regard dans le vide, triturait son croque-monsieur froid avec un couteau. Ni l'un ni l'autre ne réagissaient. Isabelle se décida à la ramasser. En se baissant, elle remarqua un couffin vide glissé sous la table. La gitane la remercia d'une voix inaudible avec un rictus, puis se pencha vers l'homme pour lui prendre des bras un nourrisson endormi que personne n'avait vu. Intimidée, Isabelle se replongea dans sa carte.

Julien s'amusait de l'air désespéré d'Alice qui gémissait :

— Je n'ai presque plus de batterie…

Il vit que Mattieu repoussait son assiette.

— Tu n'as plus faim ?

— C'est froid.

— Pourquoi tu ne demandes pas ? Gros malin…

Julien se leva avec l'assiette. Isabelle en profita pour lui piquer des légumes en douce. Son frère le devina mais son sourire se figea doucement. Son esprit était assailli de sons qu'il triait.

Clac. La porte du four.

Peu à peu, avalé par le cliquetis du micro-ondes, tout ce qui faisait partie de la cafétéria s'effaçait. Mattieu, sans que personne ne le sache, avait les sens écartelés. Il décela un imperceptible reniflement ; ça ressemblait à un petit gémissement humide. C'était ça qui l'obsédait depuis plusieurs minutes. Un halètement ténu. Tout près.

Julien, debout à côté du four, observait Alice en train de vivre intensément les messages sur son portable ; sa fille, dégustant ses desserts ; l'air concentré de Mattieu. À quoi pouvait-il bien penser ? Où son esprit était-il encore en train de vagabonder ? Son fils était comme lui, un pur, un audacieux. Accepter cette greffe inespérée était un pari dangereux. Peut-être une page à tourner. Un virage plus important et difficile que son remariage précipité. Heureusement, Alice faisait tout pour se faire accepter ; le conflit avec Isabelle était de bonne guerre. Julien se félicitait surtout de savoir être heureux à nouveau. Qu'est-ce qui pouvait bien trotter dans la tête de son petit bonhomme à cet instant ?...

Il remarqua son front tendu, presque crispé, et l'air particulièrement grave de son visage. Mattieu était en train d'écouter leurs curieux voisins. À son tour, Julien découvrit la présence du bébé. Une mèche et un coin de peau fripée débordaient du bras de la femme. En face d'elle, l'homme, livide, semblait la dévisager, mais son regard angoissé se portait bien au-delà. Julien lui sourit une seconde en croyant que l'homme le regardait lui ; non, c'était le parking que l'homme surveillait.

Insupportable. Épouvantable. Mattieu ne pouvait plus rien faire. Le son, l'idée du son l'envahissait. Il n'osait pas se boucher les oreilles. La respiration rauque du bébé dominait tous les bruits de la cafétéria. Un gémissement répugnant.

Ding. Le micro-ondes.

Tout se mélangeait dans sa tête. Tous les dings que sa vie d'enfant avait pu entendre, toutes les respirations qu'il avait pu connaître. Les centaines de pas sur le sol autour d'eux, les milliers de bruits de repas, le vrombissement des voix et l'absence de musique, n'étaient qu'une cacophonie désaccordée. Un bébé ! Lui aussi avait été un bébé ! Lui aussi avait vu l'abîme !

Mattieu transpirait, les mains à plat collées à la table, le front humide, les yeux suintants derrière ses verres métallisés. Il serrait les dents comme s'il avait mal.

Julien posa l'assiette fumante en réalisant que son fils était en état de panique.

— Mattieu ?... Ça va ?

Alice et Isabelle s'émurent aussitôt. Ils suivirent des yeux l'attention de Mattieu toujours fixée sur les gitans : la petite tête du bébé se dandinait mollement sur le bras de leur voisine.

Tout à coup, le visage de la serveuse se détendit et elle cria presque :

— Les voilà !

Une voiture de gendarmerie stoppa silencieusement devant les portes. Deux gendarmes gravirent rapidement les marches. Subitement, toute la cafétéria se retourna vers eux.

Le chef, un homme épais, se dirigea d'instinct vers la serveuse.

— Et l'hélico ?

Elle eut un geste d'impuissance. La curiosité succédait déjà à l'inquiétude. Le chef donna un ordre bref à son jeune collègue qui tourna immédiatement les talons et courut passer un appel radio.

La serveuse accompagna l'imposant gendarme jusqu'à la table où le couple à l'enfant ne se défaisait pas de leur air égaré.

— Ils stationnent avec les autres au fond du parking depuis deux jours ; on allait vous appeler justement pour qu'ils s'en aillent, c'est affreux, ce petit... J'ai voulu les emmener à côté, mais ils nous comprennent pas. Ils se sont énervés. Alors c'est pour ça que je vous ai appelé. Le papa n'a vraiment pas l'air dans son assiette. Et le bébé ? Vous croyez qu'il est mort ?

Mort.

Le mot résonna. On n'entendit plus que le ronron des distributeurs de boissons.

Le gendarme, suant de l'épreuve qui l'attendait, repoussa la serveuse et s'empara du bébé. Les parents n'offrirent qu'une molle résistance. Complètement hébétés, ils restaient prostrés sur leurs chaises. Le gendarme tira une couverture du couffin et l'étendit sur la table voisine pour y allonger l'enfant.

— Reculez s'il vous plaît !

Personne ne bougea ni ne broncha. Serré instinctivement contre son père, Mattieu essayait de suivre les moindres détails du drame qui se déroulait à côté d'eux, et que lui seul avait perçu.

Autour d'eux se formait confusément un cercle de curieux. On sortait discrètement des caméscopes. Visiblement désemparé, le gendarme balaya l'entourage d'un vague mouvement de main, chercha son collègue, puis se pencha une seconde fois sur le bébé inerte.

Le jeune gendarme revint et l'informa d'une voix neutre.

— Des accidents... tous les hélicos sont pris... c'est parce qu'il y a trop d'accidents, ils font leur possible...

La réaction de son supérieur ne fut qu'un tressaillement terrifié.

Alice se raidit en entendant une touriste chuchoter :

— C'est une fille...

Les doigts tremblants du colosse ôtèrent le linge qui emmaillotait le bébé. L'énorme visage se pencha sur le corps minuscule. Il colla son oreille contre le thorax, puis se redressa, le visage décomposé.

— Un médecin ?

Quelques badauds tournaient les talons, comme si l'affaire était entendue.

Julien et ses enfants dévisagèrent Alice. Elle frémit, semblant revenir à la réalité, et dit d'une voix grave, à peine audible :

— Moi... moi je suis médecin...

Soulagé, le gendarme la tira d'autorité par le bras. Aussitôt les gitans s'interposèrent et se mirent à crier en voulant récupérer leur petit.

— C'est juste en attendant les secours... en attendant les secours ! répétaient le plus calmement possible les gendarmes.

Alice brandit une carte de la Croix Rouge et clama :

— Laissez-moi ce bébé ! ! Calmez-vous ! ! C'est mon métier ! !

Mattieu trembla longuement en entendant la voix impressionnante de colère.

Sur ses gardes, le gitan tendit le nourrisson inanimé. Au moment où les mains d'Alice s'en saisirent, l'homme prononça lentement une phrase incompréhensible qui glaça le sang de Julien.

C'était la première fois que Julien voyait Alice dans l'exercice de ses fonctions. Derrière les gestes automatiques, il y avait une volonté évidente de sauver.

« Mon Dieu, songea-t-il, la peau de ce bébé est si pâle entre ses mains... » Fasciné, il suivait les doigts de sa femme palpant le ventre mou. Alice ne lui était jamais apparue aussi robuste. Elle prit la petite chose sous les bras, la souleva, la reposa, la maniant sans ménagement. Subitement, elle se pencha, et pinçant les fines narines, recouvrit les lèvres du bébé de sa bouche.

Mattieu, le souffle coupé, les mains cramponnées à sa chaise, respirait exactement au rythme du bouche-à-bouche. Isabelle, médusée par l'intervention de sa belle-mère, se rendit compte qu'elle aussi retenait sa respiration. Julien avait les larmes aux yeux, il n'avait jamais été confronté au danger et à la peur de l'imminence. Le jour de l'accident, il dormait dans son atelier ; le téléphone avait sonné et re-sonné pour lui annoncer le drame. Depuis, la paume de sa main droite ne pouvait se défaire de l'empreinte du combiné. On dit que l'amour prodigue les émotions les plus fortes. La perte de l'être aimé... Ce fut d'abord une violence pure ; l'unique colère de sa vie d'homme. Une brutalité telle que dans le geste machinal de raccrocher, le combiné se brisa dans sa main.

Tandis qu'Alice, dans un baiser morbide ressuscitait le fantôme de sa fille, Julien ne s'expliquait pas pourquoi, à cet instant, l'amour de sa vie lui manquait à ce point. Figé à côté de son fils et de sa fille, il se sentait impuissant à tout. Sa vraie femme, son vrai et seul amour, ne le toucherait plus.

La passion n'était plus qu'un mot. Tel ce jour où ils avaient conçu Mattieu, une nuit de caresses au bord du Lac Noir.

Alice se redressa en reprenant sa respiration. On aurait dit que l'enfant avait épuisé toute la vie de l'adulte. Enfin le bébé hoqueta et se mit à gigoter. Un murmure de bonheur envahit la cafétéria. Alice s'essuya la bouche et lança :

— Laissez-le respirer ! Poussez-vous de la lumière !

Bouleversé, le gendarme regardait autour d'eux ; il ordonna sèchement à son collègue.

— Vire-moi tout ça.

Le jeune poussa poliment les curieux vers la sortie.

Mattieu, tiré par sa sœur dans la cohue, fut le premier à entendre le vrombissement. Hélicoptère. Comme à la télé. Son premier hélicoptère ! Machinalement, il déclencha son enregistreur accroché à sa ceinture. Le bruit s'intensifiait et il sentit très vite le vent et la poussière soulevée sur le parking.

Le gitan repoussa brutalement Alice et saisit son bébé. Le mouvement général convergeait vers l'air libre, accompagnant l'enfant dans les bras de son père.

En quelques secondes, Alice se retrouva seule dans la cafétéria, perdue au milieu des tables. Elle ramassa la couverture rose et la serra contre sa poitrine. Elle sortit de son sac un petit porte photos en cuir rouge, et dans une totale immobilité le contempla longuement.

♠

Ne pas pleurer, surtout ne pas pleurer. Les larmes ne mènent à rien. C'est la vie, ma grande... tu as connu le pire, tu as une force en toi qui te sauvera de tout. Ne traîne pas ici. Ça pue la mort.

Le monospace filait sur une route nationale. La jauge d'essence était à peine sortie du rouge. Le silence continuait d'exister et de peser sur leur voyage. Nul ne pouvait se mentir et ignorer que ces vacances n'avaient plus tout à fait la saveur de l'innocence.

La station était loin maintenant, mais Julien n'arrivait pas à se décrisper, à lever le pied de l'accélérateur.

« Trop vite, je roule trop vite. »

Curieusement , il se sentait seul maître à bord, détenteur d'un pouvoir usurpé. C'était Alice qui était montée au front. Lui n'avait fait que ramasser les morceaux. Avec ses enfants à ses côtés, dans la tourmente de l'hélicoptère qui emportait un hypothétique destin, il avait réalisé qu'Alice manquait à l'appel. Il l'avait retrouvée, assise près du distributeur de cafés, totalement désemparée. Il l'avait oublié, ce visage-là, aux traits presque disgracieux. Il suffisait qu'Alice cesse de sourire pour qu'il ne lui trouve plus ni grâce ni lumière. Dès leur rencontre, il avait tissé un autre être autour de l'image de cette femme anéantie, un rien commune, si éloignée de ce qu'il aimait. Petit à petit, il l'avait transformée à son insu, de coiffeurs en boutiques de modes. À force de repenser à leur rencontre à l'hôpital, ce qui l'avait bouleversé, c'était uniquement cette fragilité qui réclamait qu'on la répare. Et lui, qui aurait donné son âme pour revivre un semblant d'amour, s'était senti investi de grands pouvoirs. Mais c'était bien peu de choses.

— Il est mort le bébé ?

Ils sursautèrent quand la voix de Mattieu troubla le silence inhabituel.

— Ils vont bien s'occuper de lui, ne t'inquiète pas mon grand.

Alice lui jeta un rapide coup d'œil. Le petit aveugle avait été le seul à flairer la mort qui rôdait autour de leur repas. Elle, n'avait rien pu faire. Qu'il vive, dans le fond, celui-là ou un autre... Qui étaient les vivants et qui étaient les morts ?... La seule certitude était qu'ils n'en sauraient jamais l'issue.

— J'avais jamais entendu d'hélicoptère en vrai. Plus tard, quand je reverrai, je pourrai peut-être en piloter un ? Dis ?

Pas de réaction. Mattieu ne se formalisait pas de ces brefs abandons. Des phrases, ou des gestes, pouvaient rester en suspend, sans qu'il se sente rejeté. Dans ce silence, il devinait qu'ils étaient parfaitement immobiles. Leurs pensées étaient encore prisonnières des serres de l'oiseau de bruit, la machine volante rouge sang qui avait emporté l'enfant.

Isabelle fixait obstinément la nuque de sa belle-mère. Jusqu'à ce jour, il ne lui était pas venu à l'idée que celle-ci put être autre chose qu'une belle-mère. Elle n'avait jamais précisément songé à la petite fille morte d'Alice, ni à son mari. Sans que ce soit un sujet tabou, Alice n'en parlait pas et ils ne connaissaient pas les visages de ces êtres qui, forcément, devaient toujours la côtoyer. De même que sa mère souvent lui manquait, comme l'air vous manque. Ou la lumière.

Elle pensa avec émotion, et avec un brin de fierté, qu'elle éprouvait pour la femme de son père une réelle compassion.

— Zut ! La carte ! s'exclama-t-elle soudain, réalisant qu'elle avait les mains vides.

Isabelle avait tracé un cercle rouge autour du Lac Noir. À côté de la carte oubliée sur la table, le feutre d'Isabelle était resté ouvert. La serveuse les ramassa puis se ravisa et les reposa.

— Ça fera bien un heureux...

Elle s'éloigna au milieu des familles de touristes qui ne la voyaient pas vraiment. La cafétéria avait repris son activité normale. Il ne s'était rien passé.

L'employée se retourna machinalement et haussa un sourcil en remarquant que la carte n'était déjà plus sur la table.

Et si quelque part, là-haut, dans les étoiles, un autre enfant pointait leur planète du doigt ? Une étoile vue d'une autre ressemblait-elle aussi à une étoile ?

Mattieu se demandait à quoi pouvait bien ressembler la terre vue d'en haut.

« Si j'ai pas peur quand la lumière reviendra, si j'ai pas mal, si... si... » parfois son esprit était agité de tant de questions que même la musique hurlant dans ses oreilles ne savait l'apaiser. Et puis, si on l'empêchait d'aller dans l'espace, il serait astronome. Au lieu de contempler le ciel, il l'écouterait. Quand on l'écoute attentivement, le ciel aussi fait du bruit. Dans une prochaine vie, il ne pourrait être qu'un oiseau, son animal préféré. Il aurait suivi le monospace perdu dans l'entrelacs de routes de plus en plus sauvages. De là-haut, il les aurait guidés.

— Ça commence à avoir de l'allure ! Regardez-moi ces forêts, quelle majesté !...

— Papa regarde la route. Sans ma carte je suis sûre qu'on va se perdre.

Julien toucha machinalement le médaillon aimanté sur le tableau de bord.

— Tant que mon saint Christophe est avec nous, nous trouverons notre route.

— Je savais pas que tu étais superstitieux...

— Ma fille, il y a tant de choses que tu ignores de moi.

— Ouais... Et si un chat noir traverse la route ?

— Je l'écrabouille !

Les enfants poussèrent un cri de dégoût qui sortit Alice de ses pensées. Julien attrapa sa main molle et l'embrassa avec douceur.

— À quoi penses-tu ?

— Rien...

— Tu as fait de ton mieux... Tu ne peux pas sauver le monde entier ma chérie. Allez... Hauts les cœurs ! lança-t-il en surveillant la jauge qui n'en finissait pas de plonger dans le rouge.

Ils suivaient à présent une vague départementale qui serpentait entre les sapins. D'un coup, la route se mit à bondir de colline en colline, et un large virage surplomba une vallée. À perte de vue, le paysage semblait vierge de toute civilisation. Le monospace freina et se rangea près d'un groupe de camping-cars. Julien réclama :

— Quelqu'un veut descendre voir le panorama ?

Mattieu haussa les épaules, les autres lorgnèrent vaguement le paysage sublime.

— Ça a de la gueule, quand même, non ?

Agacé d'être le seul à apprécier, Julien redémarra sèchement.

Isabelle observait son frère, un rien tendu, les yeux dissimulés derrière ses verres métallisés. Pour le taquiner, elle passa plusieurs fois sa main devant jusqu'à ce qu'il esquisse un sourire.

— Tu me les prêtes ?

Sans attendre la réponse, elle s'en empara et les chaussa en se mirant dans le reflet de la vitre.

— Tu verrais la classe...

— C'est pas des lunettes de fille, marmonna-t-il.

— C'est vrai tu as raison... Tu me shootes ?

Il savait qu'elle le cherchait. Elle connaissait tous ses points faibles. Mattieu dégaina son appareil et, guidé par la main de sa sœur prit la photo. Ses doigts pianotèrent sur les touches ; Isabelle se rapprocha pour s'admirer sur le petit écran.

— Pas mal la fille non ?

— Dommage, taquina-t-il à son tour, elle fait garçon manqué avec ces lunettes, non ?

— Ok ça va, je te les rends.

La route ressortait des forêts, le monospace surgit dans la lumière aveuglante. Dans un même mouvement, Julien et Alice baissèrent leurs pare-soleil. Entendant le grincement des charnières, Mattieu se redressa et releva ses lunettes sur son front. Il ouvrit les yeux en grand et tourna la tête en cherchant la clarté.

— C'est chaud...

Personne n'osait rien dire. Julien fixa un instant dans le rétroviseur les pupilles incendiées par le soleil couchant. Alice finit par réagir.

— Tu sais, je ne sais pas si c'est très bon pour ta cornée toute neuve...

— Oui docteur... dit gentiment Mattieu en se rasseyant.

Dans le rétroviseur, son visage laissa la place à un second reflet : loin derrière eux un gros véhicule les suivait.

Mattieu palpa la portière, trouva l'interrupteur, descendit la vitre, passa sa tête à l'extérieur et shoota dans le vent. Il montra à sa sœur l'image verdoyante et floue.

— Le vent ? lui demanda-t-elle.

Tout content, il laissa son appareil aux mains d'Isabelle qui se plongea dans les photos.

Mattieu se pencha de nouveau à l'extérieur. Le vent, c'est quelque chose de fort, même quand il y'en a qu'un tout petit peu. Le vent ne triche pas, le vent ne ressemble qu'à lui. Ça sifflait dans ses oreilles, c'était plus puissant que la chaleur du soleil. Tournant la tête vers l'avant, vers l'arrière, Mattieu sentait sa peau devenir sèche. Les racines de ses cheveux le tiraient, ses narines plus en plus glacées et la vitesse qui l'empêchait de respirer. Petit animal excité, il ouvrait la bouche et dévorait des morceaux qui n'existaient qu'à l'instant où il décidait de refermer la gueule.

Julien était focalisé sur son rétroviseur. L'engin étonnamment puissant les talonnait sur la route étroite. Quand celui-ci déboîta subitement, il réalisa que la tête de son fils dépassait.

Dans le vent assourdissant, Mattieu distingua un grondement, et la voix de son père.

— Mattieu ! !

Alice fut la plus prompte et le tira brusquement à l'intérieur. Le gros véhicule passa sans cesser d'accélérer et se rabattit.

— Quel abruti ce type ! ! ! cria Julien.

Il venait de reconnaître au passage l'importun de la station-service. Sous le coup de la surprise, il ne prêta plus attention à sa conduite, ni à Mattieu qui s'était cogné la tête.

— Pardon, je t'ai fait mal ? s'excusa Alice en essayant de lui caresser la joue.

Déstabilisé par les cahots et les cris, l'enfant l'esquiva sans répondre.

Très vite, la route commença à grimper sérieusement. Du coup, ils rattrapèrent le chauffard sans le vouloir. Ils étaient loin d'avoir frôlé l'accident, mais la tension était palpable. Mattieu se retenait de les interroger ; intensément, il se concentrait sur ce qui se déroulait autour de lui.

— Gros malin ! Maintenant que ça monte tu te traînes !

— Double-le, p'pa ! On va pas se laisser intimider !

Une main venait d'apparaître à la fenêtre et d'un geste ample, leur fit signe de passer. Le regard de Julien se durcit. Comme si sa vie en dépendait, il concentra toute sa volonté dans ce dépassement. Clignotant. Rétrogradation. Accélération. Le monospace déboîta sur la route étroite.

— Va doucement chéri...

— Je vais doucement... Mais... ? Il accélère ce con !

Le pied obstinément collé à l'accélérateur, Julien refusait d'abandonner. Les deux véhicules se frôlaient presque. Pour conclure l'interminable dépassement, le monospace fut obligé de mordre un peu sur le talus. À l'arrière, subissant les cahots, Mattieu s'accrochait à sa sœur. Dès qu'ils se rabattirent, il la lâcha et se retourna, à genoux sur la banquette, pour faire un bras d'honneur à la silhouette invisible derrière les reflets du pare-brise.

Ils le semèrent rapidement. Alice posa son bras sur les épaules de Julien, qui se détendait doucement.

— Ralentis, maintenant, mon héros.

Ils arrivèrent à un carrefour sans le moindre panneau. Personne ne savait quoi dire. Julien sembla hésiter, continua tout droit.

— Tu sais où tu vas ?

— Bien sûr.

Agacée, Alice consulta l'écran de son portable. Plus de batterie. Décontenancée, elle fouilla dans les vide-poches, dans son sac.

— J'ai oublié mon chargeur… Ne me dis pas que tu n'as pas le cordon pour l'allume-cigares…

— Détends-toi ma chérie… Je dois reprendre de l'essence, on va s'arrêter. Nous en rachèterons un.

— De l'essence ? Déjà ?

Isabelle, qui n'osait pas en rajouter, se pencha légèrement, et comme Alice, découvrit la jauge qui cognait dans le rouge. Elles levèrent la tête vers Julien. Plus que jamais serein et sûr de lui, il conduisait d'une main, le coude à la portière.

— Les cuves étaient à sec.

— Tu m'as dit à la cafétéria que tu avais fait le plein...

— Non, tu m'as demandé si j'avais pris de l'essence. J'ai pris de l'essence. Enfin, c'est moi qui ai eu les dernières gouttes. Les cuves étaient vides.

Qu'est-ce que tu veux que je te dise. Le gars m'a assuré qu'il y avait une autre station... Ne vous en faites pas, je contrôle parfaitement la...

— ...situation... on sait... ironisa sa fille.

— Alors pourquoi avoir quitté l'autoroute ? Tu as vu où on roule ? C'est le désert !

— C'est fini oui ? ! ! Vous voulez que je vous rafraîchisse la mémoire ? Hein ?... Vous avez oublié pourquoi on n'a pas pu l'attendre tranquillement, le ravitaillement ?...

Personne ne mouftait. Julien, pas très à l'aise, s'était remis à conduire les deux mains sur le volant, maudissant les vacanciers, les bouchons, et les accidents qui avaient retardé ce foutu camion citerne.

Après quelques kilomètres, la voix de Mattieu rompit le silence.

— Moi je l'avais vu.

— Qui ça, mon grand ?

— Le bébé.

Ils regardèrent brièvement son expression grave ; personne ne voulut en rajouter.

— On t'a vraiment dit qu'il y a une station ? demanda doucement Alice.

— Mais oui...

Julien roulait ostensiblement à l'économie. Sur le ralenti, en quatrième ou en roue libre, il profitait de la moindre descente. Franchement inquiètes, les filles scrutaient silencieusement le bout de la route, espérant découvrir une station après chaque virage. Soudain Isabelle cria en apercevant des toits dépasser de la verdure. Julien, qui était en train de devenir de plus en plus pâle, reprit instantanément des couleurs.

— Vous voyez, qu'est-ce que je disais !

— Une ville !... Pardon, un village, se reprit Isabelle.

— Un hameau... renchérit Alice, complice.

Ils traversèrent lentement une ville fantôme. Le long de l'artère principale, les volets des immeubles étaient fermés, les portes condamnées. Au-dessus de la route, une banderole usée pendait dans le vent : "non au barrage".

Un chat noir traversa la rue.

— Accélère ! ! cria Isabelle.

Julien freina tranquillement pour le laisser passer.

— Qu'est-ce qui te prend ? Ça ne va pas de me hurler dans les oreilles ?

— Qu'est-ce qui se passe ? Qu'est-ce qui se passe ? insista Mattieu en la tirant par le bras.

— Un chat noir... Papa !... Tu le fais exprès, c'est pas vrai.

Alice ne put s'empêcher de partir d'un rire nerveux.

— C'est vrai... elle a raison... je ne suis pas superstitieuse mais franchement quand tu t'y mets...

— Vous auriez préféré que j'écrase cette pauvre petite bête ?

— C'est mieux que la guigne...

— Manquerait plus que ça, répondit Julien, concentré sur le bruit capricieux du moteur.

Moqueuse, Isabelle se pencha à l'avant, arracha son médaillon de saint Christophe et fit mine de le jeter par la fenêtre.

— Tu es folle ? Donne-moi ça tout de suite !

— À toi Mattieu, attrape !

Le médaillon passa de main en main et un fou rire communicatif commençait à naître, lorsque Mattieu se figea.

— Écoutez...

Son père venait lui aussi d'identifier les premiers toussotements du moteur. Isabelle rendit piteusement le médaillon qu'il refixa au tableau de bord. Le monospace continua à rouler au pas dans les ruelles désertes. Des maisons succédèrent aux immeubles. Ils avaient fini par traverser tout le village.

— Ça y est, ça me revient... je crois me rappeler qu'il y a une station après la sortie...

— Comment ça, "tu crois te rappeler"... ? s'étonna Alice.

— On ne va pas tomber en panne alors ? l'interrompit Mattieu.

— Aaah ! ! hurla Julien en pointant du doigt le panneau d'une station à cent mètres. Alors ?... Elle est pas belle, la vie ?

♠

Moteur coupé, le réservoir complètement à sec, le monospace vint mourir entre les pompes rouillées. Désappointés, ils fixaient le panneau "*fermeture définitive*" affiché sur la façade d'une miteuse station-bar-bazar.

— C'est comment ? Y'a la queue ? questionna Mattieu.

Incapable de dissimuler son embarras, Julien prit les devants.

— Restez là, je vais sympathiser avec les autochtones.

— Je t'accompagne, enchaîna Alice en lui emboîtant le pas.

Ils poussèrent la porte vitrée d'un établissement d'un autre temps. On avait scotché le carillon avec du sparadrap. Dans le silence, ils refermèrent la porte et contemplèrent les étalages à moitié vides.

Tout était impeccablement propre mais visiblement à l'abandon. La lumière du jour traversant les linéaires dépareillés faisait luire le zinc dans la pénombre. Seule la caisse, avec le boîtier des cartes bleues, ses confiseries et gadgets, semblait encore d'actualité.

— Ils ont forcément de l'essence...

Ayant asséné cette réflexion inutile, Julien restait debout au milieu du bazar. Alice, touchée par son air malheureux, se colla amoureusement dans son dos, et après un bref baiser le taquina.

— Tu as vraiment un don.

— Duquel de mes dons tu parles ?

— Je ne sais pas si la théorie se défend, mais avoue : tu nous trouves une station-service sans essence, ensuite, un village sans habitants, et enfin... un saloon, sans cow-boys. Mon chéri, ça doit être un don.

Elle se détacha de lui, plongea sa main dans une corbeille de porte-clés soldés et en sortit un médaillon de saint Christophe.

— Tiens... décidément. Tu en veux un autre ? Je te l'offre. Enfin s'il y a encore quelqu'un de vivant dans le coin...

Elle s'interrompit en voyant dépasser du bar une paire de santiags, avec des pieds dedans. Le patron se redressa d'un coup. Vêtu d'un bleu de travail impeccable. Il repoussa sa chaise pliante, et contourna le comptoir sans cesser de fixer Alice qui avait fui dans les rayons, faisant mine d'y chercher son bonheur. Julien s'interposa poliment dans son champ de vision

— Bonjour, figurez-vous que sur l'autoroute, ils n'ont pas été ravitaillés... Ils nous ont dit que nous pourrions sûrement faire le plein chez vous... Vous en avez ?

— Quoi donc ?

— De l'essence…

— Bien sûr que j'ai de l'essence.

— Tu vois chérie, comme quoi...

— Comme quoi, quoi ? coupa froidement le patron.

Alice en train d'essayer une paire de gants de conduite en solde s'amusa de son mari empêtré dans sa fausse politesse. Le patron se tourna brusquement vers elle, et dans un sourire, la gratifia d'une dentition plus noire que blanche.

— Profitez-en, on ferme demain. Vous faites une affaire. C'est de la peau de vache de première qualité.

Elle saisit une seconde paire de gants de cuir et les montra à Julien avec un sourire très commercial.

— Chéri ? Je t'en prends une aussi ?

— Si tu veux. Pendant que j'y pense monsieur, auriez-vous un cordon pour recharger un portable sur l'allume-cigare ?

— J'en avais, mais j'en ai plus. De toute façon ça passe plus, dans la région. Moi, j'utilise ça.

Il se pencha derrière la caisse et leur montra un portable impressionnant, muni d'une énorme antenne.

— Dites donc, vous êtes à la pointe du progrès, plaisanta Julien, qui, sincèrement intéressé, détaillait déjà l'engin des yeux.

— Ça marche sur le satellite. Ici il faut bien ça. C'est pour ça que je le vends pas.

Il haussa le ton comme s'il y avait eu foule dans la station déserte :

— Alors, je vous le fais, ce plein ?

Voyant son air agacé, ils s'aperçurent qu'Isabelle était en train de se servir seule. Julien se précipita vers la porte ; l'homme l'arrêta.

— Laissez... Les gosses... on sait ce que c'est...

— Oui, c'est bien vrai... Vous en avez ?

— Non.

La réponse était tombée comme un couperet. Alice leva les sourcils en grimaçant et entraîna son mari au fond du bazar.

— Regarde chéri ! J'ai trouvé une carte !

Seul dans la voiture, Mattieu en profitait pour réécouter l'enregistrement de la cafétéria. Une fois sur la bande, les sons n'étaient plus tout à fait ceux de la réalité. À force de les réentendre, son oreille les dissociait, son esprit isolait l'un ou l'autre et le disséquait jusqu'à en connaître chaque détail du grain ou de l'intensité. Une fois assimilé, un son perdait toute réalité.

D'habitude, il n'y avait rien de plus ennuyeux que les vacances. L'ennui était un fourre-tout. On y jetait pêle-mêle les embarras, les cent petites choses qui nous perturbent chaque jour. En vacances tout était différent. Mais curieusement, ces vacances-là tissaient autour d'eux des mailles imprévues, et Mattieu, au lieu de s'en affoler, de regretter la maison sûre et ses repères quotidiens, en était excité.

Naturellement, c'était son rêve de lumière qui portait son excitation. Depuis le départ, chaque route parcourue, chaque atmosphère nouvelle, était prétexte à l'imaginer pour deux. Une fois pour les yeux de l'enfant qui ne voyait plus. Une fois pour l'enfant qui verrait bientôt. Une fois pour l'expérience, si chère à ses yeux ; elle lui donnait des armes pour vivre dans l'obscurité. Une seconde fois pour ce que l'obscurité nous cache. Il s'imaginait nimbé de lumière, semblable à la chaleur de ces couvertures qui dans la nuit, abritent les petites terreurs d'enfance.

Ses doigts glissaient habilement sur les touches. Il se repassait en boucle l'arrivée incroyable de l'hélicoptère. Son professeur de français leur avait expliqué un jour ce que signifiait "voir une scène sous un nouvel éclairage", Il tournait en rond depuis si longtemps sur une scène aux rideaux tirés. Les bras déployés de ses sens voulaient parer à tout. Voilà que subitement, grâce à ces vacances de convalescence, il se sentait assez fort pour affronter les obstacles. Rien ne pouvait être pire que redevenir petit, petit comme ce bébé, impuissant, la bouche scellée à celle d'Alice, qui avait lutté en vain contre la traîtrise du destin.

Noyé dans son tintamarre, Mattieu n'entendit pas les ronflements des moteurs des camping-cars qui investissaient la station. Le plus gros se colla juste derrière eux avec un coup de klaxon insistant. Mattieu sursauta.

La chaleur rendait l'air plus sec et les sons plus précis. Il chercha un peu dans le vide et se douta au glouglou qui tourbillonnait dans le réservoir qu'Isabelle avait presque terminé le plein. Des familles entières descendaient des véhicules et se dirigeaient vers la boutique. Avec leurs déplacements incohérents, les vacanciers dégageaient immanquablement ce même bruit caractéristique de joie nonchalante.

Isabelle raccrocha le pistolet en fixant l'homme impressionnant au crâne rasé, qui, les mains sur le volant, ne la quittait pas des yeux.

— Qu'est-ce qu'il a celui-là ? marmonna-t-elle.

Ces maudits camping-cars se ressemblaient tous, impossible de savoir s'il s'agissait de celui de leur chauffard. Deux ados se faufilèrent à l'avant et descendirent avec leur mère. Le plus petit suivait son frère sur les talons. Le plus grand, torse nu, bien bâti, en short de plage kaki, les cheveux ras sur le modèle du père, détailla Isabelle sans détours. Elle l'ignora et intriguée, se concentra sur la silhouette de la femme rousse. De loin elle semblait guillerette ; néanmoins, traînant les pieds dans ses vieilles chaussures d'été, on la devinait avachie, à bout de forces, fatiguée du quotidien.

Se sentant observée par le garçon, Isabelle, pas très à l'aise au volant, mit du temps à démarrer, à trouver la vitesse. D'autres caravanes pénétraient dans la station. Obligée de zigzaguer, elle remarqua en frissonnant qu'il s'agissait d'un convoi de gens de la route.

Elle ne put s'empêcher de chercher à reconnaître parmi eux les visages du couple au bébé. Enfin, elle réussit à se garer devant un baraquement en travaux. Entre les bâches tâchées de ciment, elle lut le panneau et comprit qu'il s'agissait des toilettes.

♠

— Tu en veux ? demanda Alice en tendant à Julien un tube de crème.

— On n'est pas encore à la plage...

— Comme tu veux, mais le soleil derrière le pare-brise, ça tape. En tout cas, des soldes pareilles, moi j'en profite, ajouta-t-elle en chuchotant.

Il regarda en souriant la provision de tubes de crème qu'elle venait de prendre dans un bac, puis il se replongea dans la grande carte murale en relief de la région. Son doigt suivit les entrelacs de routes sinuant entre les montagnes, jusqu'au petit lac.

— C'est là. Tu vois, le barrage, ça y est, maintenant je vois exactement où on est.

— Au fait mon chéri, le moment est peut-être venu de m'éclairer sur la mystérieuse destination que tu as choisie...

Visiblement embarrassé, il observa les clients proches qui essayaient en riant des lunettes en carton pour l'éclipse.

Il dévisagea sa femme qui continuait de se barbouiller le visage.

— Pour une fois qu'ils vendent une crème qui ne

sent rien... Qu'est-ce que tu allais dire ? Tu ne me cacherais pas quelque chose, toi ?

— C'est idiot... Écoute, je ne savais pas comment te le dire ; en fait, c'est à cause, enfin plutôt, c'est quelque part, lié à l'opération de Mattieu...

Immédiatement, Alice retrouva son sérieux. C'était elle qui maintenant le dévisageait avec gravité. Il continua d'une voix atone, comme s'il redoutait sa réaction.

— ... Je sais tu vas te moquer de moi, vous allez encore penser que c'est de la superstition, mais s'il te plaît, ne le prends pas mal...

— Vas-y, accouche... insista Alice en se forçant à sourire.

— Justement, tu ne crois pas si bien dire...

Elle grimaça de surprise.

— Alice... Je suis déjà venu, en fait. Il y a longtemps.

— Ça j'avais compris.

Nerveusement, elle réouvrit le tube et se badigeonna de nouveau.

— Avec... Elle... tu vois... c'est ici, en vacances, que nous pensions avoir conçu Mattieu... Alors voilà... tu comprends, avec l'opération, si jamais il y avait une chance pour que sa vue... Enfin je me suis dit qu'en revenant sur ces lieux... C'est une sorte de pèlerinage, conclut-il en baissant la tête.

Elle lui releva le menton et déposa un léger baiser sur les lèvres.

— Toi alors. Tu m'étonneras toujours...

Il ne put s'empêcher de l'embrasser à son tour.

— Attention, dit-elle en reculant, je vais t'en mettre partout !

— Tu t'en es mis des tonnes ! ?

Elle se détourna en s'essuyant le bord des yeux avec un mouchoir.

— Tu es sûre que ça va ? Tu pleures ? Regarde-moi !

Il la prit par les épaules et la fixa. Elle paraissait bouleversée.

— C'est la crème, qui pique...

Pour changer de conversation, elle fit du doigt une marque de crème sur la carte.

— Alors ce petit truc bleu, c'est le fameux Lac Noir.

— Toute la vallée va être submergée... gronda la voix sourde du patron dans leur dos.

— Submergée ? !

— Énergie ou tourisme... Ils ont choisi pour nous. C'est leur barrage. Vingt ans que ça nous pendait au nez...

— Quelle catastrophe !... se lamenta Julien.

Alice s'était éloignée et, les yeux pleins de larmes, fixait au milieu de l'animation du parking leur monospace, garé devant le baraquement des toilettes.

Le patron et Julien échangèrent un regard complice. Malgré tout ce qui pouvait les séparer, ils étaient sur la même longueur d'ondes.

— C'est prévu quand ?...

— À la fin de l'été. Ne vous en faites pas pour vos vacances...

Avant de retourner vers sa caisse, il lâcha, désabusé :

— ...Ça ne dérangera pas grand monde. Je suis le seul à être resté jusqu'au bout. Moi mon truc, c'est la pêche. J'avais mes habitudes, mon cabanon, je sais pas si je trouverai mon bonheur ailleurs...

Julien éprouva soudain de la sympathie pour l'homme qui contemplait avec tristesse les clients qui l'attendaient.

— Un dernier baroud. Pour l'honneur ! lâcha-t-il en s'éloignant.

♠

Ne pas dire. Ne pas faire. Ne pas ressentir. Plus rien ne m'atteint. Je ne peux sauver ni moi-même ni les autres. Je suis sans pouvoir. Ose le regarder dans les yeux.

Devant l'entrée encombrée de gravats des toilettes pour hommes, Isabelle et son frère attendaient patiemment leur tour. La main de Mattieu était inhabituellement moite. Le va-et-vient bruyant des gitans qui avaient envahi le baraquement le perturbait. Un groupe de gosses avait démonté un robinet pour en faire une douche de fortune, ils inondaient le couloir en se rafraîchissant. Des parents remplissaient des jerricanes d'eau et des bassines, dans lesquels des femmes frottaient rapidement du linge.

— Tu veux que je t'accompagne, Mattieu ?

— Non, je peux y aller tout seul.

Sa voix n'était pas aussi assurée que d'habitude, elle hésitait à le lâcher. Comment son frère aurait-il pu deviner que le bébé de la cafétéria était un enfant de gitans ?

— On attend qu'il y ait moins de monde, d'accord ?

— D'accord.

Il ne se faisait pas prier, le message était clair. Tout en se disant que son inquiétude était exagérée, elle continuait à scruter les visages. La clé du monospace était bien dans sa poche… Zut, elle n'avait pas fermé à clé. Surtout, elle aussi avait envie d'aller aux toilettes… Elle transpirait ; il lui en fallait bien peu pour perdre son self-control ! Tout ce qu'elle avait gagné, c'était qu'à présent Mattieu en avait conscience.

— Vas-y toi, dit-il doucement, t'inquiète pas, je suis grand. Je te rejoins à la voiture.

Pour appuyer ses dires, il déploya sa canne télescopique avec un claquement sec. Les enfants, au bout du couloir, s'arrêtèrent un instant de jouer, intrigués. Isabelle, de plus en plus perturbée, redoutait la scène habituelle des curieux. Heureusement, à l'extérieur, un homme à la voix autoritaire cria un ordre d'une voix chantante, et tous obéirent et regagnèrent les véhicules. Soulagée, elle se décida à lâcher la main de son frère.

— Bon, tu appelles si tu as un problème.

— Oui…

Elle fit mine de s'éloigner, mais resta quelques instants sur place à le surveiller. Il cherchait vaillamment la porte d'entrée. Avec tendresse, elle songea que cette manière incroyable avec laquelle il avançait dans le noir, le visage tendu en avant, souriant, la captiverait toujours. Son frère était son super héros. Quel homme pourrait un jour l'égaler à ses yeux ? Elle repensa qu'il allait, après tout, peut-être retrouver la vue. Le monde de Mattieu changerait. Elle souhaitait très fort être avec lui ce jour-là, car pour elle aussi, forcément, le monde changerait alors.

La porte claqua derrière lui. De moins en moins fort, jusqu'à devenir un bruit mou et inconsistant. Les fenêtres neuves étaient à peine posées ; de grandes bâches empêchaient la lumière de passer ; le clignotement irrégulier d'un néon morcelait la pénombre. Percevant précisément son ronronnement électrique, Mattieu, sûr de son intuition, savait les toilettes désertes. Le cœur battant, content d'être livré à lui-même, il fit connaissance avec ce nouveau territoire. La première chose, c'était l'odeur. Ici, le mélange de peinture mal séchée, de terre, de gravats, et d'urines, n'était qu'une puanteur uniforme. Il attendit que cesse la soufflerie du séchoir. Des bruits d'eau, caractéristiques : à main gauche, le goutte à goutte d'un robinet dans un lavabo bouché, et à main droite, le filet d'eau régulier des pissotières. Entre les deux, le bruissement des bâches et la rumeur lointaine de l'extérieur. Mattieu sourit de son acuité. Il replia sa canne en se dirigeant résolument vers le chuintement des pissotières.

Marchant naturellement, il avançait d'un pas égal et prudent, concentré sur sa trajectoire, la pointe des pieds légère, évitant les câbles électriques du chantier... Il se cogna méchamment à une porte restée ouverte. Instantanément, la colère et les larmes lui montèrent aux yeux. Ses traits se durcirent et son corps se raidit quand il lança sa jambe en avant pour un coup de pied destiné à la porte imprévue. Le coup de pied frappa dans le vide et le déséquilibra. Mais il resta debout.

Immobile dans son obscurité, Mattieu dut faire un énorme effort pour ne pas sombrer dans cette panique qui l'avait souvent humilié. Ne pas crier, ne pas appeler. Ce n'était pas seulement aux siens qu'il voulait prouver que ces vacances seraient celles du renouveau. Cela lui redonna courage. Le trouble s'estompait, ses oreilles lui obéissaient de nouveau. Il se remit en branle. Après un nombre de pas que son cerveau comptabilisait, dès que sa jambe sentit le contact froid du rebord de l'urinoir, il se cala avec son autre genou. Enfin, satisfait, il sourit en ouvrant sa braguette.

À ce moment précis, la porte claqua, des voix criardes et désagréables résonnèrent entre les murs. Mattieu sursauta, puis ne bougea plus. Impossible de faire pipi, tous ses sens tentaient de cerner ce qui se passait dans son dos.

Avec un rire imbécile, le plus grand, Pierre-Marie maltraitait le distributeur de préservatifs devant son frère Pierrot, plus timide qui ne le lâchait pas d'une semelle. Mattieu, stoïque devant son urinoir, écoutait les déplacements des deux adolescents. Le reflet des gosses glissa sur le carrelage mural.

— Salut dit l'aîné.

La voix dissimulait mal une gentillesse enfouie sous un grain vaguement grave. Mattieu ne répondit pas ; Pierre-Marie lui donna une bourrade. Les lunettes lui tombèrent sur la poitrine. Sans animosité, Mattieu remonta sa braguette et se retourna lentement.

En découvrant ses yeux, Pierre-Marie blêmit une seconde avant d'articuler durement.

— Merde Pierrot ! T'as vu la tronche... ?

Mattieu devina les piétinements sur place, brefs et nerveux, de Pierrot.

— Ça pue ici, non ?... Regarde Pierrot, il est croisé avec quoi celui-là ? Oh, la taupe ?... On t'a fait dans une éprouvette mal lavée ?

— Arrête tes conneries, dit Pierrot à voix basse.

Mattieu ne s'était pas trompé, le plus jeune suivait l'autre à contrecœur.

— C'est à lui d'arrêter de me regarder... Hein ? Pourquoi tu souris ? Réponds ! Oh ! Il est muet en plus ?

La méchanceté est partout. Contrairement aux idées reçues, c'est un moteur de l'enfance. Parfois, sourire est une arme. Pas dans ce cas. Mattieu aussi avait appris à gronder plus fort que les chiens. Il déplia d'un coup sa canne télescopique et prenant un air menaçant, fouetta au jugé devant lui. Le grand para le coup et d'un revers de main envoya promener la canne à l'autre bout de la pièce. Mattieu l'entendit glisser sur le sol avant de buter contre le plastique d'une bâche. Il ne se démonta pas et continua à gronder.

— Barrez-vous. Je vous ai rien fait.

Sa voix ne pouvait s'empêcher de trembler, non de peur, de colère.

— Tous ces anormaux qui gâchent notre oxygène...

Il s'interrompit en voyant la ceinture de Mattieu.

— Oh Pierrot regarde... En plus ça rapporte un max d'être handicapé.

Avant que Mattieu comprenne, il lui arracha son appareil photo et l'admira en sifflant.

— Waterproof... ! Tu te prends en photo sous la douche ?

Envahi subitement par la haine, Mattieu se mit à grincer des dents. Ses mâchoires se crispaient malgré lui. L'imbécile continuait.

— Allez une photo souvenir. Mets-lui son truc sur les oreilles, ça lui donnera un air intelligent.

Son frère hésitait, il le houspilla.

— Ben qu'est-ce t'attends ?... Merde, comment ça marche ce machin...

Mattieu l'entendait retourner l'appareil dans tous les sens et appuyer sur les boutons au hasard. Il ne broncha pas quand Pierrot, le coiffant maladroitement des écouteurs, déclencha sans le savoir l'enregistreur.

— Attention... Ouistiti...

— Tu vas te prendre le flash dans la glace...

Sans se poser de questions, Pierre-Marie déclencha. Entendant des pas dans le couloir, il lança l'appareil à son frère, et plaquant une main sur la bouche de Mattieu, l'entraîna dans un cabinet.

Isabelle, inquiète, poussa la porte, fit un tour d'horizon, appela :

— Mattieu ?... Mattieu ?...

Intimidée par le silence, elle referma la porte et repartit.

Dans le cabinet, les garçons pouffaient nerveusement, essayant de maintenir l'aveugle qui donnait d'inutiles coups de pied et coups de poing.

De nouveau quelqu'un entra. Des pas s'approchèrent. La présence stoppa derrière leur porte. Quelqu'un essayait d'ouvrir... Pierre-Marie, du bout des doigts, fit glisser le verrou. Brusquement, le loquet fut arraché et leur père Eugène apparut. Saisis, les deux frères n'en menaient pas large.

Quelque chose avait changé dans la dégaine de l'homme : il portait sur le nez des lunettes métallisées identiques à celles de Mattieu. Il n'avait même pas ôté l'étiquette.

— C'est Pierre-Marie qui a commencé, attaqua Pierrot en raccrochant l'appareil à la ceinture de Mattieu.

— On s'amusait... C'est un aveugle. On a rien fait.

De l'index, le père lui fit *"mon œil"*, et claqua des doigts en leur indiquant la sortie.

Les deux affreux avaient quitté les lieux. Mattieu recommençait à respirer.

— Merci monsieur.

L'homme ne bougea pas et continua à observer l'enfant d'un air absent. Mattieu essaya d'identifier le vague parfum de crème solaire, ou peut-être une odeur de neuf, mais la puanteur du lieu les rendait confuses. Soudain, surprenant Mattieu, Eugène s'agenouilla et lui rajusta longuement ses vêtements sans rien dire.

Au bout d'un instant, comme si cette confrontation le bouleversait, il se releva d'un coup et sortit à son tour.

La porte battante claqua, de moins en moins fort, jusqu'à devenir un bruit mou et inconsistant. Mattieu ôta ses écouteurs et les fourra dans sa poche, oubliant que son appareil enregistrait toujours. Le silence, son silence, revenait. Il lui suffit de quelques secondes pour retrouver ses repères. Seul le goutte à goutte du lavabo bouché avait pris une sonorité différente. Le filet d'eau régulier des pissotières, la rumeur du dehors. Il en avait vu d'autres, des gamins arrogants.

Soudain un fracas métallique explosa. Mattieu sursauta, tous ses poils hérissés.

C'était le bruit d'un échafaudage qu'on faisait rouler le long du mur. La rumeur de la fenêtre libérée se propagea dans la pièce. L'échafaudage continuait à trembler, pas très loin devant lui. Quelqu'un bloquait l'issue. Pourtant, Mattieu avait cru que l'homme s'en était vraiment allé.

— Monsieur ?... sonda Mattieu.

Il y avait bien quelqu'un, là, quelque part devant lui, quelqu'un qui ne répondait pas. Il chercha machinalement sa canne, et se souvint que les gosses l'avait envoyée valdinguer. Il devait se tenir à quelque chose, il fallait avancer, ne pas abandonner son désarroi à la méchanceté d'un voyant. Après quelques pas hésitants, trébuchant sur les câbles, sa main trouva enfin le rebord froid d'un lavabo.

— Monsieur… ?… J'ai perdu ma canne. Elle est tombée par là…. Vous pouvez m'aider ? S'il vous plaît…

Il longeait l'alignement des lavabos qui le mèneraient vers la sortie. Une fois confronté à l'échafaudage, il aviserait. Soudain, sentant la chaleur d'un corps, il balaya l'air de son autre main. La présence silencieuse s'écarta pour le laisser passer. Mattieu se retint d'appeler. Dans ce genre de situation imprévue, il avait déjà cédé à la paranoïa. À force de crier au loup, on finirait par se lasser, pire, lui en vouloir.

Il arrivait au bout du dernier lavabo. Comme un astronaute, il se lança dans le vide, se détacha, les bras en avant. À quelques mètres de lui à peine, il entendit la présence invisible qui ramassait la canne, la dépliait. Puis tel un chat jouant avec une souris, elle asticota Mattieu, lui glissa entre les jambes. Il se tourna instinctivement dans sa direction et cria d'une voix sourde :

— Pourquoi vous faites ça ? !

Brusquement, deux mains le saisirent aux épaules et le firent tourner plusieurs fois sur lui-même avant de le relâcher. Mattieu, complètement perdu, tituba. Il fit un énorme effort pour retrouver son équilibre et garder un semblant de sang-froid. Il ouvrit la bouche ; au lieu d'appeler, il se sentit devenir glacé. La présence s'était accroupie devant lui et l'observait en silence.

La bouche toujours crispée sur un cri qui ne venait

pas, la poitrine écrasée par une angoisse insurmontable, Mattieu se décida à affronter seul l'étrange face à face avec l'Invisible. Il huma plusieurs fois. Les deux respirations s'affrontaient.

— J'ai même pas peur, souffla l'enfant.

Il cherchait à distinguer la respiration de l'autre derrière la sienne, trop forte, brûlante.

— Vous, vous sentez la peur ! cria-t-il en lançant ses mains pour palper le faciès.

La présence l'esquiva. Mattieu fut fait prisonnier. Deux mains gantées se plaquèrent et emprisonnèrent son visage. Il était paralysé par la surprise. Le cuir des gants crissa. Les mains resserrèrent leur étreinte. Les pouces commençaient à appuyer sur ses yeux... Pétrifié, Mattieu ne trouvait plus le moindre ressort en lui pour se dégager de cette torture. Irrémédiablement, les pouces s'enfonçaient dans ses orbites. Pour la seconde fois de sa vie, l'aveugle ressentait physiquement l'existence de ses yeux. Ça ne faisait pas mal, il y avait juste le sang qui palpitait dans sa nuque, et la chaleur qui se propageait autour de son crâne. Il s'abandonnait. Il ne luttait plus, tout se relâchait en lui. Son combat incessant au milieu des vivants allait peut-être cesser. Voir. Ne pas voir... Et après... Si l'Invisible aux mains gantées ne le relâchait pas, l'alternative n'existerait plus. Au fond de lui, il aimait son monde privé de lumière.

Un crépitement d'eau et de feu envahit violemment ses pensées.

Il comprit que le lavabo bouché débordait. L'eau tombait quelque part sur les câbles électriques. Les toilettes furent brusquement plongées dans le noir le plus complet. Mattieu repoussa son tortionnaire de toutes ses forces en hurlant. Son cri se cognait aux murs et il ressentit avec délices la panique de l'Invisible. Soudain, perdu dans le noir, l'Invisible se heurtait à l'échafaudage qu'il finit par arracher de l'entrée, et s'enfuit.

La lumière crue du couloir envahit brutalement le lieu. Mattieu s'était d'instinct retourné en direction du claquement des portes. Une fraction de seconde, il eut une sensation inconnue. Il palpa ses paupières engourdies, ouvrit et referma les yeux de plus en plus doucement, tandis que des étoiles tourbillonnantes lui envahissaient la tête. Il respira plus fort, submergé par une émotion incroyable que sa raison lui interdisait de nommer "espoir".

Il avait chaud, mais ça n'était pas seulement la chaleur. Pour se redonner du courage, il cria d'une petite voix.

— Moi, j'ai pas peur du noir !

♠

Mattieu reconnut les pas précipités d'Isabelle. Complètement paniquée, voyant l'état de choc de son frère, elle le serrait contre elle en inspectant les lieux déserts.

— Putain mais t'étais où ? ! On te cherche partout !

— On m'a attaqué ! gémit Mattieu.

Leur père arrivait à son tour. Elle lui fit signe de se calmer.

— Qu'est-ce qui t'est arrivé mon grand ?

— Il m'a volé ma canne.

— Qui ça "Il" ?

Julien se figea un instant, en se persuadant qu'il ne fallait pas rentrer dans son jeu. À ce bref silence, Mattieu perçut leur réticence.

— Non, rien...

— Pourquoi as-tu abandonné ton frère ?... Toi... tu mériterais...!

— C'était pour lui faire plaisir... En plus il a rien, c'est pas la première fois, ni la dernière, qu'il se perdra !

Mattieu commençait à rentrer nerveusement son menton sur sa poitrine. Julien coupa court.

— Ramène-le à la voiture, je vais récupérer sa canne. Et, préviens Alice qu'on l'a retrouvé !

Julien les regardait s'éloigner. Mattieu, se dégagea de la main de sa sœur et marcha à côté d'elle en essayant de calquer son pas sur le sien.

Julien pataugeait en rond dans le noir des toilettes. Il était toujours temps de faire demi-tour. Ça ne signifiait pas renoncer. Dans le fond, il savait qu'il n'était pas si superstitieux. Son être profond était un mélange de raison et de rêveries. Depuis l'accident injuste qui avait fait de leur vie une solitude, il refusait d'accepter les signes. Plus leur force violait sa conscience, plus il les fuyait. Il n'avait rien à se reprocher. Il espérait, voilà tout. Énergiquement, il arracha la bâche qui dissimulait les fenêtres. Sa silhouette se confondit quelques instants à la lumière du jour.

Alice connaissait à présent la raison de son pèlerinage ; elle semblait l'accepter. Le plus difficile était derrière.

Plongé dans ses pensées, Julien referma le robinet, fouilla dans les recoins, sans succès. Il ne découvrit que le boîtier électrique grillé et en déduisit la panique de Mattieu.

En ressortant, il tomba sur Alice. Elle devina à son air abattu qu'il revenait bredouille.

— Comme si, toi, tu pouvais retrouver quelque chose… Allez, va t'occuper de ton fils, fit-elle en le poussant vers la sortie, je vais aller voir.

Julien l'embrassa fugitivement et s'éloigna d'un pas rapide tandis qu'Alice franchissait l'entrée des toilettes des hommes.

Après avoir agité les bâches, ouvert toutes les portes, remué du pied un tas de gravats, elle s'immobilisa devant les miroirs neufs, encore frangés de leur emballage en plastique. Furieuse de n'avoir rien trouvé, elle donna un coup de sac à l'échafaudage. Une partie de son contenu se dispersa sur le sol. Envahie d'une grande lassitude, elle poussa un long soupir en ramassant machinalement ses affaires.

À la voiture, Julien découvrit sa fille au volant, maussade. Elle lui faisait ses yeux de cocker. Julien se redressa, et une main à la ceinture frappa à la vitre.

— Bonjour mademoiselle, police des routes perdues, contrôle de routine, avez-vous votre permis ?

— Conduite accompagnée, acquiesça-t-elle, aux anges.

Quand son père monta à l'arrière, Isabelle retrouva le sourire. Mattieu l'air sombre, se désintéressait de leur jeu ; Julien se laissa tomber à côté de lui.

— Et toi mon grand ? Qu'est-ce que tu en penses ? On la laisse conduire, la sauterelle ?

Deux gitans pénétraient dans les toilettes pour hommes. Alice ne réagit pas. Tandis qu'ils se lavaient les mains et s'interrogeaient du regard sur sa présence, elle referma son sac, alluma une cigarette et disparut dans un cabinet en laissant la porte ouverte.

En se séchant les mains, les hommes commencèrent à ricaner entre eux en surveillant la fumée qui s'élevait derrière la cloison. La soufflerie cessa ; ils perçurent des murmures. Indécis, ils s'approchèrent et découvrirent la femme assise sur le couvercle rabattu, la clope au bec, chuchotant dans le vide. Elle leva des yeux désespérés vers les silhouettes auréolées de lumière, et les chassa en sifflant entre ses dents :

— La paix !

Alice s'était décidée à revenir. En l'entendant monter, Mattieu demanda aussitôt :

— Tu l'as retrouvée ?

— Non... j'ai bien cherché pourtant. Quelqu'un a dû passer avant nous...

Mattieu se recroquevilla sur lui-même, très contrarié. Son père lui prit la main.

— Je t'en inventerai une spéciale pour ton anniversaire, d'accord ?... Ça tombe bien, j'en avais assez de te voir avec cette canne préhistorique...

— Tu pourras pas ! C'est demain mon anniversaire...

— ... Je te le promets. Oublierais-tu que j'ai plus d'un tour dans mon sac ? Est-ce qu'une seule fois, je n'ai pas tenu mes promesses ?

— D'abord si ça se trouve, bientôt j'aurai plus besoin de canne ! affirma Mattieu d'une voix sourde.

— Laisse-le tranquille... chuchota Alice.

Julien remarqua la diode rouge à sa ceinture.

— Tu nous enregistres en cachette ?

Mattieu palpa l'appareil et sentit l'infime vibration. Depuis quand fonctionnait-il ? L'autre gamin avait dû appuyer sur le mauvais bouton. Brûlant d'envie d'écouter la bande, il détourna la conversation.

— On s'en va ?

— C'est parti ! clama Isabelle en faisant hurler le moteur.

— Oh la ! Tout doux fifille !

— Désolée...

Ils grimacèrent, tandis qu'elle cherchait la marche arrière en faisant horriblement craquer la boîte. Gêné, Julien aperçut le patron qui observait leurs manœuvres maladroites.

Les mains et les pieds crispés, Julien se retint de ne pas gâcher le plaisir de sa fille.

— Élargis, sinon on va se payer le talus.

— *N'importe naouac...*

La roue avant frôla le talus rocailleux, l'arrière passa droit au-dessus d'une grosse ferraille tordue qui émergeait d'un plot. Julien retint Mattieu pour parer au choc. À l'avant les deux femmes poussèrent un petit cri en rebondissant sur leurs sièges.

Isabelle, rouge de sueur, fixait la route et passa la troisième en douceur.

— Du velours... Ça y est, je l'ai en main.

— On a touché non ? demanda Alice.

— C'est l'amortisseur qui a talonné, c'est rien, rassura Julien, décidé à ne pas perturber leur bonne humeur retrouvée.

Pierre-Marie, le visage collé à la vitre, se fendait la gueule.

— Ma parole, c'est le mongol qui conduit ou quoi ?...

Sa mère sursauta et l'interrogea avec un rictus.

— Quel mongol...?

— Rien m'man... Hé, p'pa, pourquoi tu m'en as pas acheté à moi aussi ?

— Quand tu seras un homme, répliqua Eugène en le toisant derrière ses lunettes neuves.

— Je suis un homme...!

Pour plaisanter, son père lui pinça brusquement le nez. Pierre-Marie se tordit en gémissant.

— Arrête papa, tu lui fais mal ! s'exclama Pierrot.

Eugène, fier de sa blague, le relâcha en rigolant.

— T'as vu ton grand frère ?... Encore un peu et il en sortirait du petit lait. Allez ! On lève le camp.

Sa femme, Françoise, haussa les épaules en leurs jetant un regard morne, puis elle se sangla dans sa ceinture de sécurité.

♠

La plainte de Salammbô retentissait dans l'habitacle. La voix bouleversante s'éteignait, puis éclatait de nouveau. Les violons soulevaient doucement leurs cœurs. Les hautbois resurgirent entre les vagues puissantes de l'opéra qui avançait vers son climax. La musique remuait les profondeurs de chacun. Ce qu'ils découvraient le long du chemin paraissait accompagner la mélodie. Salammbô cria. L'orchestre vaincu s'effondra dans une dernière bourrasque.

Dans le silence qui suivit, Alice tendit le bras pour éteindre l'autoradio.

— C'est beau, non ?

Elle acquiesça avant de se blottir contre sa portière. Julien l'avait initié à la musique classique. Mais était-elle sensible à la beauté ? Elle ne le savait pas elle-même. Un bijou, un coucher de soleil, ça pouvait être beau. Sa fille, était belle. Son défunt mari, était beau... Cette foutue musique, insidieuse, qui vous tire les larmes... Alors qu'elle faisait tout pour ne rien manifester de son désarroi. Rentrer dans le moule, se caser sagement et accepter la vie.

Refuser l'effroi qui enflammait son âme lorsqu'elle songeait à sa trahison ! La voix de la chanteuse venait d'explorer ses entrailles sans prévenir. Toute sa peine, sa colère et sa haine, se bousculaient maintenant à la surface de son être. Elle dut faire un effort énorme pour ravaler le cri embusqué dans son cœur. Prisonnière d'une coque puante, elle aurait voulu sortir des griffes pour la transpercer.

— On commence à respirer le grand air des vacances ! s'exclama Julien.

Il se pencha par-dessus le siège d'Alice et lui frôla tendrement la main. Il se laissa retomber en arrière, tapota la cuisse de Mattieu.

— On est où ?

— Nous sommes sur une jolie route qui serpente dans la rocaille, enfin rocaille, c'est plutôt une montagne pelée, une petite montagne, nous ne sommes plus très loin du col, je pense. Imagine... d'un côté le flanc rocheux, plongé dans l'ombre ; le soleil est en train de passer de l'autre côté du sommet vois-tu, et de l'autre, une sorte de précipice vert sombre. Ce sont les crêtes des sapins qui ressortent le plus. Tout en bas, quelque part entre ces montagnes, se trouve notre destination finale : le Lac Noir !

— Pourquoi on l'appelle comme ça ? s'enquit Isabelle.

— Comment veux-tu que je le sache... C'est bien, c'est bien tu sais, je trouve ta conduite très assurée. Bravo ma fifille.

— Je suis plus une gamine... S'il te plaît.

Concentrée et contente, Isabelle demanda à Alice :

— Je ne roule pas trop vite ? Ça va ?

— Ça va. Ça va mieux... C'est vrai qu'on se sent enfin en vacances.

Mattieu releva la tête quand Isabelle freina doucement mais fermement.

— Merde... où je vais papa ?

Le monospace était arrêté au milieu d'une sorte de carrefour. Ses occupants regardaient d'un air désappointé les panneaux indicateurs bâchés. Un panneau de déviation traînait sur le talus.

— Hein, je vais où ? insista Isabelle.

Julien, embarrassé, fouillait dans sa mémoire. Pas un détail de ce carrefour ne lui rappelait quoi que ce soit. À côté de lui Mattieu s'était figé dans l'attente d'une réponse rassurante.

— Logiquement, si c'est une déviation, c'est pour nous dévier sur une route plus petite. Qu'est-ce que vous en pensez ?

— Papa... Elles sont toutes... petites...

— Moi je préfère ne pas prendre parti. Je ne veux pas que ça me retombe dessus, déclara Alice.

— Allez, décida Julien, on prend à gauche ; il faut descendre.

— C'est parti...

— Attends ! cria-t-il subitement, la route va devenir dangereuse, je vais reprendre le volant.

Mattieu l'air absent, suivit l'échange de conducteurs en coiffant son casque et se plongea dans son écoute.

Revenue à côté de son frère, Isabelle sourit en le voyant plus que jamais dans sa bulle. Elle lui souleva un écouteur.

— Tu me fais écouter ?

Il appuya aussitôt sur la touche -stop- et se renfrogna.

— Ouh la... Toi tu m'en veux pour tout à l'heure...

Il fit signe que non et remit son appareil en marche.

La connerie des deux ados, le flash de l'appareil photo, le fracas de l'échafaudage, le crissement des gants, le halètement de l'Invisible et sa panique dans le noir...

Mattieu réécoutait la scène en boucle, en accéléré, au ralenti, donnant à chaque son une couleur nouvelle. Une fois imprégné de ce moment secret, presque rassuré, il éteignit son appareil.

— Papa, moi aussi je peux essayer de conduire ?

Personne n'osa répondre. Ils s'enfonçaient dans la pénombre d'une route bordée d'un rideau sombre de sapins.

— Je plaisante, grinça Mattieu qui ressentit leur appréhension.

— Papa, tenta Isabelle, on va dormir où ?

— On louera un bungalow.

— Tu as réservé ?

Julien dévisagea Alice avec une innocence désarmante.

— Réservé ! ? Je ne sais pas si tu te rends compte ; à l'époque, il n'y avait ni téléphone, ni électricité...

juste quelques bungalows pour les touristes de passage.

— Mon chéri...

— Détendez-vous... Je vous emmène à l'aventure, alors faites-moi confiance ! Vous allez voir ce que vous allez voir, c'est un endroit somptueux... Hé quoi ? Si jamais c'est complet, on campera c'est tout ! On a ce qu'il faut, j'ai tout prévu

— Moi je vous préviens, dit Isabelle, je dors dans la voiture.

— Tu feras comme tu veux. Moi en tout cas, j'ai hâte de tester mon barbecue solaire.

— Ton quoi ? s'exclamèrent-elles.

— Un barbecue solaire.

Isabelle haussa les sourcils en même temps que ses épaules. Alice, contemplant la crête des sapins qui commençait à se fondre avec le ciel, dit gravement :

— Barbecue ou pas, ce soir on mangera froid, la nuit tombe.

Mattieu se tendit vers la vitre, soudainement inquiet.

— C'est vrai, c'est la nuit déjà ?

Succédant à une série de lacets en descente, le barrage leur apparut dans la nuit tombante : un long ruban gris d'une centaine de mètres, bordé par l'obscurité et dominé par les montagnes.

Julien, excité par cette vision, s'engagea au ralenti, et stoppa pile au milieu de l'ouvrage. Il laissa tourner le moteur et, sans un mot, descendit.

— Où il va ? s'inquiéta Mattieu.

— Admirer le paysage qu'on ne voit pas, répondit sa sœur d'une voix morne.

Penchée au parapet, sa silhouette s'agitait en contre-jour, dans les dernières lueurs du soleil au bout de l'enfilade de montagnes.

— Regardez, mais regardez... on y est, c'est le lac là-bas en bas, on le devine. S'il vous plaît... arrêtez de bouder et faites-moi le plaisir de venir profiter du panorama avant qu'il fasse complètement noir.

Il força Alice à descendre. Elle n'osait pas contredire son enthousiasme et se pencha à son tour au-dessus du vide.

Isabelle condescendit à les rejoindre, laissant Mattieu dans la voiture. Fébrile, il tournait la tête de tous côtés. En éveil, il tentait de capter le monde nouveau qui existait brusquement autour de lui. Gêné par le bruit du moteur, il ne percevait que la brise humide de la nuit proche.

— Papa... s'étonna Isabelle, ton lac, c'est la flaque d'eau là-bas en bas ?

— Il commence à faire frais non ? frissonna Alice.

— Le moteur s'est arrêté...

Mattieu les appelait timidement depuis la voiture.

— Le moteur s'est arrêté...

N'obtenant pas de réponse, il se pencha, trouva le volant à tâtons et klaxonna. Le trio sursauta et le rejoignit immédiatement.

— Tu nous as fait peur Mattieu, dit Alice qui arrivait la première.

— Le moteur s'est arrêté.

— Bon, en route mon grand, encore cinq minutes et on y est.

Mattieu, de plus en plus anxieux, scrutait le toussotement du moteur que son père essayait de démarrer en vain. Julien, soudain envahi d'une bouffée de chaleur, restait penché sur le démarreur. Stupéfait par la vérité, il fuyait les regards de sa femme et de sa fille qui le dévisageaient, d'abord incrédules, puis sévères. Alice se tourna vers l'ultime rayon de soleil ; tout le paysage s'éclipsa.

— Il fait nuit, constata-t-elle en trahissant pour la première fois son agacement.

Mattieu se rapprocha d'Isabelle pour lui murmurer :

— Il fait complètement nuit ? On est en panne ? On pourra repartir tu crois ?

Le bêlement du démarreur résonna encore quelques instants entre les montagnes.

— Je préfère pas insister, sinon je risque d'épuiser la batterie, ça doit être...

— Au point où on en est, siffla Alice.

Julien se pencha vers le tableau de bord en ouvrant des yeux ronds.

— Ça alors !...

Ouvrant la portière, il se pencha, et l'air navré annonça la nouvelle.

— Tu avais raison, on a dû toucher quelque chose tout à l'heure...

Il descendit inspecter sous la voiture, suivi comme

son ombre par Alice. Isabelle plaqua sa main sur la bouche de son frère.

— Chut ! Qu'est-ce qu'y disent ?

Le frère et la sœur, à genoux sur la banquette arrière, observaient le couple qui s'expliquait sur la route.

— Le coup de la panne ma chérie, il fallait bien que je te le fasse au moins une fois, non ?

— Tu mériterais que je t'y balance, au fond de ton foutu barrage !

Sa nature bouillonnante resurgissait. Elle laissait monter le délicieux afflux de sang au cerveau. Elle le toisa : misérable, accroupi sur la route, reniflant ses doigts imprégnés par la longue traînée auréolée derrière la voiture.

— Essence... dit-il.

Haussant les épaules, elle ouvrit le coffre et fouilla nerveusement dans les sacs. Elle extirpa une sorte de bras articulé en demandant avec provocation :

— Et naturellement toutes ces inventions stupides ne fonctionnent qu'avec le soleil ?

L'espace d'un instant, on eut dit que Julien allait se laisser aller à un semblant d'énervement. Comme toujours, il prit sur lui et, le sourire aux lèvres, s'approcha d'Alice qui continuait à remuer les sacs.

— Qu'est-ce que tu cherches ?

— Je sais pas... Ça me calme.

Elle sortit une poignée de courts bâtonnets sous plastique et les observa, étonnée.

— C'est pour quoi faire ?

— Des torches...

— Pour quoi faire ?!

— On ne sait jamais mon amour. À chaque problème sa solution.

Il se colla contre elle, l'embrassa dans le cou en refermant doucement le coffre. Derrière la vitre, Isabelle commentait la scène à Mattieu. Alice consentit à leur sourire, et fusilla son mari du regard avant de s'éloigner vers le parapet.

— Tu crois que tout est facile ! Tu sais quoi : tu n'es qu'un illuminé...

— Tu m'aimes aussi pour ça, non ?... Non ?...

— Si tu le dis... N'empêche qu'à cause de ton insouciance, on est dans la mouise ! Tu peux toujours faire le malin, on est en rade dans le trou du cul du monde, et en plus avec un... avec... Mattieu...

Le visage de Julien se crispa malgré lui.

— Pardon... Je m'énerve facilement... tu sais bien....

— Je sais. Allez... on retourne à la voiture ?

— Oui.

♠

Main dans la main, le frère et la sœur faisaient quelques pas dans l'obscurité. Mattieu avançait sans peine, tirant un peu Isabelle, pas très rassurée. Elle se rendait compte à quel point il était à l'aise, et surtout à quel point elle ne l'était pas.

— Pas trop loin, hein ?...

— ...Fais-moi confiance.

— Non, viens Mattieu, on n'y voit rien.

— T'as peur du noir, une grande fifille comme toi ?

— Ah, tu vas pas t'y mettre toi aussi !

Elle regarda par-dessus son épaule : on ne distinguait presque plus les silhouettes qui s'affairaient dans la voiture.

— J'ai pas peur, j'ai pas envie d'être dans le noir c'est tout...

— Froussarde...

— T'es chiant quand tu t'y mets.

Elle continua à le suivre à contrecœur, faisant glisser ses semelles sur le goudron pour assurer son pas. Soudain il la lâcha et elle se retrouva seule.

— Arrête !... Putain t'es où... ?

Elle crut repérer sa respiration, tenta de l'attraper

mais ne rencontra que du vide. La voix de Mattieu ricana dans son dos ; il lui pinça les fesses.

— Bon ! ! Moi je rentre. J'ai faim. Tu retrouveras ton chemin sans moi puisque t'es si malin ! C'est facile, c'est tout droit.

Et d'une démarche mal assurée et mécanique, elle s'éloigna en direction des feux arrière de la voiture.

Déçu, Mattieu écouta décroître ses pas, puis reprit sa ballade nocturne. Il laissait son visage s'imprégner de l'humidité de la nuit qu'il ressentait sans obstacles. Il s'arrêta, dégaina son appareil et le tendit devant lui à bout de bras. Une fraction de seconde le flash illumina la nuit vide qui l'entourait. Il saisit son enregistreur dans l'autre main, et d'un ton des plus sérieux, leva la tête vers le ciel étoilé.

— Mattieu appelle les étoiles, Mattieu appelle les étoiles... est-ce que vous me recevez ?... crrr... crrr... Tout est ok à la station ? Ici sur terre ça pourrait aller mieux. On a des ennuis techniques mais ça va sûrement s'arranger... À vous... crrr... crrr... Non, je ne suis pas encore guéri. Mais - il chuchota - aujourd'hui, je crois que j'ai vu de la lumière... Je répète. J'ai vu quelque chose... crrrr... Mattieu appelle les étoiles, Mattieu appelle les étoiles... Je vous reçois mal, ça doit être les interférences à cause de l'éclipse. N'oubliez pas de me prévenir quand elle commencera, je dois me protéger les yeux ! Crrr...

Il avança d'un pas, comme s'il cherchait à mieux capter, devint grave.

— Non... ils ne m'en parlent pas... c'est pour pas me faire de peine. Oui... crrr... les yeux d'un mort... je sais... crr... Étoiles... Si un jour vous rencontrez son étoile filante, dites-lui que si jamais je retrouve la vue, je penserai toujours à lui... Étoiles... j'ai quelque chose de très important à vous demander... Voilà... Je voudrais savoir si le visage de maman est sauvegardé, quelque part dans ma mémoire ?... Si je retrouve la vue, est-ce que c'est elle que je reverrai en premier ?... Crrr... Crrr ! Zut, je vous recontacte dans douze heures, je dois retourner à la navette. Fin de transmission.

La nuit glissait sur ses lunettes, ça lui faisait de gros yeux noirs et luisants. Il se tourna vers les lointains grondements d'un orage et, tendant l'oreille, chercha à repérer le monospace. Un pas hésitant dans une direction, dans une autre ; d'un coup, il réalisa qu'il ne savait plus où il était. Surpris et désorienté, il perçut au loin le bruit croissant d'un moteur.

Isabelle, accroupie dans le fossé pour un besoin naturel, leva la tête en entendant le moteur. Elle aperçut les feux puissants d'un gros véhicule qui s'engageait sur le barrage. Elle jaugea la distance qui le séparait des deux silhouettes en train de faire des signes au milieu de la route.

Dans l'éclat des phares qui s'élargissait, Julien agitait timidement les bras. Haussant les épaules, Alice se mit devant lui en criant. Le véhicule ne semblait pas vouloir ralentir son allure.

Isabelle, réalisant que ses parents étaient à la merci du monstre rugissant, s'élança vers la route.

— Hé ! Vous êtes tarés ! ! Restez pas au milieu ! !

Mattieu serrait ses poings sur sa poitrine, essayant de se focaliser sur le grondement. Le barrage et les montagnes le répercutaient et il n'arrivait pas à voir exactement d'où il provenait.

— Je crois qu'il ne s'arrêtera pas ! ! ! hurla Julien.

Le moteur couvrait leurs voix. Éblouis, ils continuaient d'agiter les bras en criant.

Isabelle arriva au bord de la route ; le camping-car passa dans un fracas.

Tétanisée, Isabelle écarquillait les yeux sur l'obscurité totale en imaginant le pire. Les deux silhouettes avaient disparu. Sans avoir ralenti une seconde, les points rouges des feux arrières continuaient leur chemin sur le barrage. Elle réalisa que l'engin fonçait en direction de Mattieu, quand Julien et Alice surgirent de la nuit.

— Où est ton frère... ? !

Le souffle court, ils errèrent dans le noir en appelant Mattieu. Par nécessité, leurs yeux réussissaient à discerner les contours de la montagne, le sol devant eux, le parapet. Au bout d'un moment, ils entendirent sa voix.

— Je suis là !

Soulagés, ils se tournèrent en direction de la masse sombre du monospace et aperçurent Mattieu, qui ouvrait tranquillement la portière et leur faisait un signe de la main dans la lueur du plafonnier.

♠

Au creux du cocon de métal, le clan s'organisait. Ils avaient pivoté leurs sièges vers le centre pour dîner en silence, et à présent chacun tâchait de trouver son confort pour la nuit. Étonnée, Alice observait les couvertures de survie argentées que déballait fièrement Julien. Mattieu, découvrant ce son inconnu, ne se lassait pas de les toucher.

— Allez au dodo. Tout ce qu'on a à faire en attendant la cavalerie, c'est d'essayer de dormir, dit Alice sur un ton apaisant.

— On peut toujours rêver... grimaça Isabelle.

Julien, au lieu de s'installer continuait à farfouiller au fond du coffre.

— Tu as fini de gigoter ? Qu'est-ce que tu cherches ? demanda Alice en le voyant sortir un paquet cadeau.

Isabelle chuchota.

— Pas maintenant papa !... C'est demain...

Trop tard, Mattieu avait entendu le froissement du papier cadeau.

— À situation exceptionnelle, anniversaire exceptionnel ! Moi, j'ai envie de fêter l'anniversaire de mon fils. Maintenant. Hein mon grand ? Qu'est-ce que tu en dis ?

Julien lui mit les cheveux en bataille et Mattieu leur fit un timide sourire.

— Vous savez c'est pas obligé...

Attendris, ils souriaient, assis en cercle autour de lui.

— ...Je sais bien qu'on aurait pu le fêter mieux que ça, mais à la guerre comme à la guerre...

Julien embrasa un allume-feu au-dessus du paquet.

— Allez, souffle !... Vite, je me brûle les pattes.

Mattieu localisa la chaleur avec sa paume et éteignit la flamme du premier coup.

— Vas-y... Ouvre... murmura Alice.

Ses doigts exploraient la forme d'un petit écrin allongé.

— Qu'est-ce que c'est ?

Il colla son oreille et entendit un tic-tac.

— Tu as l'âge de savoir l'heure tout seul... C'est Alice qui a eu l'idée.

Très ému, Mattieu souleva le couvercle et palpa le cadran en relief.

— Merci...

Son père et sa sœur l'embrassèrent longuement. Alice attendait son tour, Mattieu, trop intéressé par son cadeau, se replongea sur le cadran, cherchant à comprendre ce que déchiffraient ses doigts.

— Quelle heure il est ? demanda-t-il.

— Je vais t'apprendre, se contenta de répondre Alice en lui prenant doucement les mains. Tu vois, c'est comme une montre normale, ça c'est la grande aiguille, et ça la petite aiguille...

Une légère brise glissait sur la carrosserie, abritant les vies calfeutrées sous son aile. La voix maternelle d'Alice ronronnait contre les fenêtres. Mattieu écoutait religieusement ses indications. On lui offrait les clés du temps. Il se disait que cela était peut-être plus précieux que la vue. Quelle emprise le temps aurait-il sur sa mémoire ?

— C'est bien de se coucher avec le cycle naturel. Ainsi, nous serons levés avec le soleil, s'exclama Julien.

— Tu me réveilleras ? Ça sera quelle heure ?

— Tu verras bien demain... Allez, on dort maintenant.

Une main éteignit le plafonnier.

Tout le monde fermait les yeux, sauf Mattieu, qui avait discrètement allumé son baladeur et mis son casque. Un petit grésillement troubla le silence.

— Éteins ta radio Mattieu... gronda gentiment son père.

— Qu'est-ce que tu écoutes ? demanda Alice.

— Les étoiles filantes.

Ils se redressèrent tous les trois en le regardant avec incompréhension.

— Ben oui, des fois elles font des parasites.

— Et y'en a beaucoup par ici, Einstein ? le taquina Isabelle.

— Non. Mais je m'entraîne.

Impressionnée, Alice cherchait à discerner le visage du petit aveugle dans le noir. Mais devina à peine de légers reflets dans ses yeux lorsqu'il bougeait la tête.

— Tu sais, les couleurs que tu vois, reprit Mattieu, c'est des vibrations.

— Ah bon...

— Oui, une fleur rouge, pourquoi elle est rouge ? C'est justement parce qu'elle en veut pas, du rouge, qu'elle te le montre...

— Ah bon...

— Oui ! Les vibrations c'est invisible. Tout ce qui nous entoure, c'est des ions... Tu connais ? Les ions ?...

— Oui, quand même.

— C'est pour ça qu'on parle de l'aura...

— Aaah...

Mattieu rangea sa radio et ils se recouchèrent tant bien que mal. On n'entendit plus que leurs calmes respirations.

— Tu me gênes Mattieu...

Il s'était recroquevillé contre sa sœur qui essayait de se mettre à son aise, mais il restait collé à elle, tenant une de ses mains dans les siennes. Comme quand il était petit, il palpait machinalement chaque doigt, chaque pli de la paume. Elle murmura à son oreille.

— Tu te rends compte, demain on sera où maman et papa t'ont conçu...

— La petite graine...

— Ouais... la petite graine...

— Isabelle, est-ce que tu sais quand il y a eu une éclipse pour la dernière fois ?

— Euh... non.

— L'année quand je suis né... C'était qu'une éclipse de lune, mais moi je pense que c'est pas un hasard... Tu comprends ?

— Ben... non...

À l'avant, tout en cherchant le sommeil, les adultes écoutaient leurs chuchotements.

— Cette fois c'est une éclipse totale de soleil ; j'espère qu'il va faire beau. Moi je pourrai pas le regarder, mais vous, il faudra absolument.

Attendrie, Isabelle se disait qu'elle avait bien de la chance d'avoir un petit frère comme lui.

— Eh bien, ça gamberge là-dedans...

— Il faudra quand même bien te protéger les yeux Mattieu, ajouta Julien, plus que jamais...

Alice sourit de tant de poésie involontaire chez cet enfant. Quelque chose de plus fort qu'elle, la poussa à se retourner vers lui.

— Je peux te faire un bisou, Mattieu ?

Il sentit sa chaleur de femme. Un filet de tiédeur s'échappait de sa bouche entrouverte. Il entra en contact avec les cheveux d'Alice. Une émotion presque désagréable fureta dans sa raison, comme si ce baiser que cette femme paraissait mendier, était à la fois indécent et primordial. Il fut le premier étonné de sa réponse.

— D'accord... Mais comme maman... Un bisou papillon.

— Ah bon ?... Et c'est comment ? Tu me montres ?

Sans réfléchir, Mattieu lui attrapa la main et doucement, frôlant la paume, battit des paupières pour caresser la peau du bout des cils.

Au plus profond d'elle-même, Alice ressentit un frémissement douloureux qui la déchira ; peu à peu, battement de cœur après battement de cœur, le cri lointain finit par s'apaiser. Elle avait refermé sa main sur l'invisible baiser et serrait le poing. À côté d'eux, ni Julien ni Isabelle ne bougeaient. Confusément, ils devinaient qu'une chose de première importance était en train de se produire.

Mattieu ferma les yeux et attendit son tour. Enfin, Alice se pencha et fit battre ses paupières. Un voile bienfaisant caressa la joue de l'enfant, puis sa peine, puis sa peur.

Alice se recoucha. Son mari, le regard perdu dans l'obscurité de la vitre, se souvenait lui aussi des précieux baisers qu'il ne connaîtrait jamais plus.

— Surtout ne me prends pas la main... lui murmura Alice.

Son ton reflétait une fragilité particulière qu'il ne lui connaissait pas. Julien s'exécuta avant de murmurer à l'attention de tous.

— Faites de beaux rêves, éclipse ou pas, c'est un vrai paradis qui nous attend...

Les doigts de Mattieu avaient cessé leur manège. Isabelle observait les profils des adultes dans l'obscurité, et la silhouette de son frère. Elle écouta la musique de leurs respirations, esquissa un sourire de bien-être, et s'endormit doucement.

♠

Les étoiles scintillaient nettement d'un bord à l'autre du ciel. Le ruban plus clair du barrage dessinait un trait à main levée entre les montagnes. Une petite tache luisait au milieu du paysage. Plus de vent. Plus de lune. Plus aucun bruit. La voiture se confondait peu à peu à la nuit absolue.

Une fine couche d'humidité recouvrait les vitres du cocon. À l'intérieur, les humains dormaient profondément. Pas un ronflement, seulement le bruissement mêlé de leurs souffles. Les couvertures de survie froissées, pareilles à de la neige miroitante, resplendissaient dans le noir. Les dormeurs avaient sur leurs visages des sourires béats.

Mattieu s'était séparé de sa sœur. Sa main était crispée sur le cadran de sa montre, et si on l'observait attentivement, on pouvait deviner une légère agitation.

« *Maman ! ! Maman ! !* » hurlaient ses neurones.

Et la lumière éclatante contre le pare-brise. Et les cheveux de maman flottant sur l'appuie-tête. Et le moteur dormant de son grondement de fauve.

La voix chantante de maman. Sa voix souvenir, perdu dans la mémoire embuée du sommeil. L'esprit de la nuit éveillait la musique de l'âme. L'oiseau de feu revenait voleter avec son désir d'embrasements. Désir de voir. Revoir pour la voir. Rôde le grand loup gris féroce. Et l'oiseau de lumière contre la vitre. Maman est la lumière. Voir pour recommencer. L'œuf magique emprisonne la mort du sorcier. L'Invisible traque la princesse captive. Et si le monde n'était qu'un jeu d'ombres ? « Maman ! ! Maman ! ! » Puis les cris s'apaisaient. « Maman... Maman... Embrasse-moi... Regarde-moi... C'est l'heure... » L'heure de « Je suis né ». L'heure de l'éclipse. L'Invisible, perçant de sa haine les yeux de l'oiseau de feu. Et la terreur. Voir les étoiles se décrocher et fondre sur lui. Le visage de maman explosant de rouge dans la lumière du pare-brise. Son doux visage penché. Son baiser fugitif en pluie de douceur. Et la fin du monde.

Écarquillant interminablement les yeux, Mattieu se glissa hors du cauchemar. Heureusement, l'Invisible s'évanouit dans un silence total.

En sueur, il reprit ses esprits et se calma en scrutant le souffle léger des dormeurs. Il se redressa lentement et, incroyablement tendu, approcha son visage de la vitre. De l'autre côté, il ne pouvait y avoir que du noir profond. Du noir qui ne faisait peur qu'aux voyants. Il colla son nez sur la surface embuée. Frissonnant, il l'essuya du plat de la main. Son corps scrutait l'étrange silence qui l'avait réveillé.

Avec une précaution infinie, il s'empara délicatement de son appareil photo et appliqua l'objectif contre la surface de la fenêtre. Les yeux clos, Mattieu se concentra et attendit que se produise l'imprévisible.

Depuis un long moment, il soulevait ses paupières et luttait contre le sommeil. Le noir de la nuit obscurcissait ses pupilles. Plus les minutes passaient, plus le silence devenait oppressant. Tout à coup une forme surgit derrière la vitre. Mattieu le sentit immédiatement et appuya sur le déclencheur.

Une fraction de seconde, dans la lumière crue du flash, une apparition. Deux trous de lumière à la place des yeux, c'était le visage indistinct d'un homme, qui s'éclairait par en dessous avec une lampe de poche.

Mattieu sauvegarda l'image dans son appareil, en donnant l'alerte.

— Y'a quelqu'un dehors ! ! Y'a quelqu'un dehors ! !

Isabelle émergea la première en rouspétant.

— Qu'est-ce qu'il a encore ?

— Je l'ai eu ! Je l'ai, regardez !

— Qu'est-ce que tu racontes ? Qui ? essayait vaguement de concevoir Julien.

Il leur tendit son appareil numérique, qu'ils se passèrent avec des regards incrédules et embarrassés.

— Alors... ?

Sur l'écran se dessinait une vague forme qui pouvait être la buée, ou le reflet de Mattieu.

— Alors, qu'est-ce que c'est ? insistait Mattieu.

Isabelle préféra jouer franc-jeu.

— Ben... le brouillard ?

— Tu as dû faire un cauchemar... essaya Alice, tu t'es encore laissé emporté par ton imagination...

— Non ! ! Y'a quelqu'un dehors ! !

Mattieu, inhabituellement furieux, leur reprit brutalement l'appareil des mains et se rua sur la porte. Son père le stoppa.

— Reste là ! !

Trop tard, Mattieu était descendu et ouvrait à son père. Il l'entraîna dans la nuit.

Stupéfaites, les deux femmes ne purent que se résoudre à suivre des yeux la petite silhouette qui emmenait la grande par la main. Ils s'éloignèrent, jusqu'à disparaître complètement.

♠

Impressionné, Julien frissonnait de nervosité sans pouvoir s'arrêter. Hors du cocon, la nuit était une chose intimidante. Des souvenirs d'adolescence lui traversaient l'esprit : des nuits angoissées en camping sauvage, ou cette nuit passée à la porte de chez lui par peur de réveiller ses parents ; et cette fois où, jeune étudiant, il avait dormi dans sa voiture sur un parking. Il s'était garé sans le savoir sur un terrain réservé aux romanichels. Ils l'avaient un peu chahuté au milieu de la nuit et il avait repris la route en sueur.

Là, il se laissait conduire dans la nuit par son fils, dont il ne savait pas comment calmer la paranoïa. Cette nouvelle série de peurs était l'écho d'une autre angoisse. Avait-il bien fait de tenter cette greffe ? Quand à Elle, l'aurait-elle souhaitée ? Comment savoir ?... L'enjeu était lourd pour Mattieu aussi bien que pour lui. Alice ne s'impliquait pas dans ses tourments de père. Elle était arrivée juste après la bataille. Une seule fois, elle avait fini par lâcher son sentiment : bien que médecin, les greffes la choquaient. Elle trouvait ce troc anonyme d'organes impossible à vivre pour les proches des donneurs. Alice avait des avis tranchés sur tout. Il les acceptait. Elle lui avait confié qu'après des années de fausses couches, avoir enfin une fille avait été inespéré. Lui, se disait-il, il n'avait pas perdu son enfant ; comment pouvait-il se représenter la douleur d'une mère ? Avoir vu Alice ce matin aux prises avec la survie de ce bébé, le rendait encore plus mal à l'aise. Bien faire, faire bien, être droit, juste, peser le pour et le contre, tout prévoir. Il s'infligeait depuis trop longtemps une pression qui n'avait dans le fond aucun sens. Là, suspendu dans le noir complet à la main de son fils aveugle, il songeait plus que jamais qu'il était peut-être temps d'apprendre à lâcher prise.

— Attends ! Va doucement j'y vois rien moi...

— Chut ! Écoute !

Mattieu l'entraînait trop loin de la voiture. Cette situation était ridicule. Croyant soudainement entrevoir un mouvement, Julien cessa de frissonner.

C'était improbable et pourtant, il semblait en effet qu'une présence se trouvait devant eux sur la route. Même lui qui n'y voyait goutte, commençait à discerner une forme. Sentant une vague panique s'emparer de lui, il se défendit contre l'idée qu'il pouvait s'agir du gitan, là, embusqué dans la nuit, attendant le moment propice à une vengeance aveugle... Idée saugrenue... La poigne de son fils ne se desserrait pas, au contraire, il paraissait de plus en plus nerveux.

Mattieu, sûr de lui, avançait sans hésiter en direction de ce qu'il pressentait. L'idée de la peur ne l'effleurait pas, ce qu'il voulait, c'était leur prouver qu'il n'avait pas rêvé.

Demi-tour, faire demi-tour.

— Viens Mattieu, tu vois bien qu'il n'y a que nous ici, allez viens.

Pourtant Julien restait figé. Aucun doute, quelque chose de vivant se trouvait là, et ne bougeait pas, à quelques mètres. “Ça ” les attendait. Mattieu renifla l'odeur, écouta de toutes ses forces, et d'un coup sembla totalement rassuré.

— N'aie pas peur, papa.

La petite main du garçon, soutenant celle de son père, se tendit en avant dans le vide. Tous deux respiraient au diapason, à la découverte, tremblant d'un mélange de peur et d'excitation. C'était si près. On entendait précisément une respiration puissante et rauque.

— C'est chaud...touche...

La main crispée de Julien entra en contact avec le museau chaud et humide d'une vache.

— Toi alors... dit simplement son père, émerveillé d'être là avec lui, sous les étoiles, si intensément.

♠

De l'autre côté du barrage, les couleurs du ciel coulaient sur le versant rocailleux. Au silence pesant de la nuit, succédait un fourmillement de bruits. Les premiers rayons de soleil rampaient sur la route droite du barrage, léchaient les rondeurs du cocon, et atteignirent les visages endormis, cernés par leur nuit d'aventure.

Réveillé par son propre ronflement, Julien grimaça en voyant qu'ils avaient manqué l'aurore. Sans les réveiller, il descendit en refermant la portière avec précaution.

Autour de lui, dans la lumière glaciale du matin, le paysage se révélait plutôt inquiétant. Il se pencha sur le parapet ; le lac était bien là. Tout en bas, on apercevait le miroir d'une eau noire dans l'ombre des montagnes.

Doucement, il ouvrit le coffre avec un air machiavélique. Il en sortit une paire de chaussures de marche et ce qui ressemblait à une combinaison de survie. Après l'avoir enfilée, il prit dans une des poches multiples une barre de céréales et un sifflet d'alarme qu'il s'accrocha autour du cou.

Dans cet accoutrement ridicule, Julien tenta de s'éloigner discrètement, atténuant le froissement synthétique de ses pas. Il longea le parapet jusqu'au bout du barrage, et s'engagea prudemment dans un minuscule sentier qui semblait descendre vers le lac à travers la forêt. À peine quelques pas ; il glissa sur un éboulis et disparut dans un fourré d'épineux en étouffant un cri de douleur.

Mattieu s'éveilla et se laissa bercer encore un peu par leurs respirations. Il en manquait une. Il secoua doucement sa sœur.

— Papa est parti ?

Les deux femmes, l'air ahuries émergeaient difficilement en regardant le siège vide de Julien.

— Ça alors… tu crois qu'il nous a abandonnés ? murmura Isabelle d'une voix cassée.

— Il est allé nous chercher des croissants, ironisa Alice.

— Écoutez… coupa Mattieu.

Ils devinèrent de lointains et mornes coups de sifflets.

— Mon Dieu, regardez-le… gémit Alice, ne sachant pas si elle devait rire ou s'attrister du spectacle.

— Qu'est-ce qu'y a, demandait Mattieu, dis-moi, dis-moi…

— Non là, franchement je sais pas comment te le décrire, pouffa Isabelle.

Au loin, Julien revenait vers la voiture en clopinant.

— Qu'est-ce que c'est que cette tenue ?

— Qu'est-ce qu'il fait ?

Julien leur faisait de grands gestes en parlant mais ils ne distinguaient pas ses mots.

— Votre père a fière allure... une nouvelle race d'aventuriers, vous ne trouvez pas ?

— Il ramène peut-être de l'essence ? imagina Mattieu.

— Tu parles. C'est pas un barbecue solaire qu'il aurait dû inventer, c'est une voiture solaire.

Julien, confiant et réjoui, arrivait en criant :

— On va y aller à pied ! Il y a un chemin facile qui descend vers le lac !

Il les embrassa à la ronde.

— Tout le monde a bien dormi ?

— Tu parles... J'ai qu'une envie ce matin, c'est de dormir !

Alice, du même avis, n'osait pas en rajouter.

— Enfin ! Qu'est-ce que vous avez ? Un peu de nerf ! En route mauvaise troupe ! Nous prendrons le p'tit déj sur la plage !

— Chéri, ne serait-il pas plus sage d'attendre que quelqu'un nous dépanne ?

— Trop tôt. Personne ne risque de passer avant des heures... si quelqu'un passe... En bas, nous trouverons l'aide nécessaire.

— Moi je veux aller avec papa ! dit Mattieu qui devinait leur réticence.

Les deux femmes se regardèrent d'un air entendu, examinèrent Julien de la tête aux pieds.

— Tu comptes y aller comme ça ?
— Moi j'te préviens, papa, si tu nous fous la honte, j'y vais pas.

Changés de la tête aux pieds, ils abandonnèrent la route, sur les traces du chef de famille. Mattieu ouvrait la marche, juché sur les épaules de son père, qui le trouvant trop lourd serrait les dents. Concentré, il choisissait soigneusement où poser les pieds, et se retournait de temps à autre avec des "Ça va ?" à l'attention de celles qui les suivaient en silence. Avec leurs sacs à dos et le grand sac de plage plein à craquer, ils ressemblaient à une famille en balade anodine.

Pour Mattieu, c'était un festival de sensations que son père lui décrivait tant bien que mal au fur et à mesure de leur descente. Son cerveau et ses sens en ébullition, il décryptait les mots et emmagasinait les odeurs nouvelles mêlées au vent. Il gardait ses mains ouvertes pour caresser les branchages qui le frôlaient, attrapait des feuilles encore humides de rosée, s'étonnait de chaque cri d'oiseau et des bruits confus des bêtes qui furetaient sur leur chemin.

Le sentier s'enfonçait dans une forêt de plus en plus pentue. Ils traversèrent une vaste étendue dégagée, en pente douce, où des cascades d'écume glissaient entre de gros rochers. Les torrents s'y rejoignaient puis chutaient d'un surplomb dominant le lac.

Julien déposa son fils pour souffler, et cette fois, il

n'eut pas besoin d'insister pour qu'ils admirent le paysage. Mattieu comprit à leur mutisme qu'ils savouraient la beauté de ce moment imprévu. Inutile de réclamer pour qu'on lui raconte le panorama. Il percevait avec précision le souffle frais de l'eau qui se jetait dans le vide devant eux. Il ne devait plus avancer d'un pas. La pierre était glissante sous ses semelles. Il s'accroupit pour saisir l'eau à poignées et se rafraîchir. C'était bon. Les autres l'imitèrent avant de se remettre en route au bord du vide.

Les jambes en coton, la famille parvint enfin au bord du lac. Julien contempla avec satisfaction le barrage qui les dominait.

— Allez encore un effort, on y est presque.

Vu d'en bas, le paysage était encore plus sauvage et intimidant. Le soleil n'avait pas dépassé les crêtes et tout était engourdi dans une ombre froide. Il régnait un silence impressionnant que seul troublaient leurs pas traînants.

Julien scrutait anxieusement les frondaisons. Soudain son visage s'illumina en apercevant des toitures.

— Je le savais ! Les voilà ! Les bungalows !

Il partit en éclaireur ; ils le trouvèrent blême et découragé.

— Je l'aurais parié... lâcha froidement Isabelle.

Visiblement à l'abandon depuis des années, quelques cabanons envahis par la végétation s'alignaient à la lisière de la forêt.

Sans le moindre commentaire, Isabelle prit la tête de l'expédition et contourna une pointe rocheuse.

Ils emboîtèrent son pas et arrivèrent dans une petite baie où une langue de sable formait une sorte de plage miniature. Un cordon de bouées multicolores délimitait visiblement une aire de baignade.

— Moi j'en ai marre, dit Isabelle en tirant une serviette du sac de plage.

— J'ai faim, se plaignit Mattieu, on est où ? On est arrivé ?

— On est sur la plage, t'en fais pas mon grand.

— J'entends personne...

— Non, il n'y a personne... tenta de le rassurer Alice, et fusillant Julien du regard elle ajouta, des gens vont certainement arriver...

Elle tira Mattieu à elle, se laissa tomber sur la serviette à côté d'Isabelle. Mattieu se blottit entre elles, également épuisé par la descente. Qu'allaient-ils faire à présent ? Il ne se sentait pas le courage de remonter jusqu'à la voiture maintenant. Et pourquoi, puisqu'ils étaient en panne ? Il adorait son père, mais imitant sa sœur et Alice, il était en train de le détester.

Julien s'agenouilla sur le sable et la bouche pâteuse, essaya de faire bonne figure. Leurs visages las le décourageaient encore plus.

— Écoutez... Je vous demande pardon. Je sais bien que ça se présente assez mal ; c'est un mauvais concours de circonstances, donnez-moi une chance, ce n'est que le premier jour...

Alice ne put se retenir plus longtemps. Elle laissa exploser sa colère et s'indigna à voix basse, comme s'ils étaient observés.

— Avec la série noire que tu nous infliges depuis ce matin c'est tout ce que tu trouves à dire ! ? On s'en fout de tes excuses, moi, je veux une salle de bains, un lit, du repos !... C'est toi qui me rabats les oreilles avec les vacances ! Moi j'avais du boulot, alors trouve une solution ! !

Mattieu était désolé de l'embarras de son père. Il sentait contre lui la chaleur et l'excitation dans le corps de sa belle-mère. C'était la première fois qu'elle le prenait dans ses bras. Il n'avait jamais entendu battre le cœur de cette femme ; là, chaque pulsation résonnait en lui avec une force insoupçonnée.

— Chérie... Enfin c'est ridicule... Nous ne sommes pas en danger, personne n'est blessé que je sache. En plus on a droit à trois pour cent de pertes...

Son humour tomba à plat.

— Chérie... une panne d'essence c'est pas la mer à boire...

— Chut. Tais-toi. Ne dis plus rien. Je vais me calmer toute seule. Voilà. Ça y est. Je me calme. Je suis calmée.

Le cri d'un aigle, répercuté par les montagnes et le barrage, fusa au-dessus du lac. Mattieu attendit en vain une description. Ils tressaillirent en voyant l'oiseau plonger brusquement vers la surface de l'eau. Il s'éleva ensuite de toute sa puissance, emportant une proie qui s'agitait dans ses serres.

Le rapace disparut dans la lumière éblouissante qui envahissait enfin la vallée.

Julien se laissa tomber sur le sable à son tour. Blottis les uns contre les autres pour se tenir chaud, ils sombrèrent dans un sommeil profond.

♠

Quel espoir ? Pourquoi ? Quel amour ? De quel droit ? Du gouffre rejailliront les rires d'antan. Je m'accroche à tout et à rien, mes mains tissent une jungle de tourments. Je m'accroche à ce reste immonde. Je ne sais plus. Comment me délivrer, respirer, oublier ? Combien de temps à supporter ce reflux nauséabond ? Je plonge dans la peur et la haine, je le sais, je descends vers l'abîme. Qui aura l'audace de terrasser ce qui fait hurler mon cœur ? Moi ?

Incrustées dans le sable, leurs silhouettes endormies avaient la couleur ineffable de l'abandon. Leurs respirations, au rythme des songes de chacun, montaient vers le jour lumineux, ne devenant plus qu'un seul souffle. Mattieu, le front plissé et transpirant, ne rêvait pas. L'enfant, entre deux mondes, entre deux ombres, n'identifiait pas encore ce qu'il entendait. Du silence du sommeil s'éveillaient des bruits vivaces et éclatants. Doucement, sa conscience reconnaissait des cris, des précipitations, des éclaboussements, un brouhaha humain qui le cernait et ne le laissait pas se rendormir. Un enfant éclata d'un rire joyeux, Mattieu ouvrit les yeux.

Avec lui, Isabelle, Julien et sa femme, se réveillèrent d'un seul coup au milieu de la plage bondée.

— Oh putain… marmonna Isabelle.

Soudain, le Lac Noir ne se ressemblait plus, métamorphosé par la présence d'une foule de vacanciers. Mattieu tournait la tête de tous côtés, assailli par l'ambiance bruyante. Ils mirent un moment à réaliser. Ils étaient si exténués que les estivants en investissant les lieux ne les avaient pas réveillés.

Curieusement, personne ne semblait vraiment porter attention à cette famille habillée et fripée. Ils étaient groggy, ankylosés, assommés par le soleil. Isabelle regardait fixement ces gens qui se baignaient, couraient, semblaient s'amuser. « C'est vrai, se dit-elle, c'est vrai que c'est les vacances. » Mattieu palpait sa montre. Il n'osait pas leur avouer, mais il était incapable de lire l'heure. Au soleil brûlant et à son estomac, il se doutait qu'il ne devait pas être loin de midi. Navré de leur situation, Julien, au moment où il l'aperçut se souvint du chemin carrossable qui descendait de la route jusqu'au lac. En une longue file, des autos et des camping-cars étaient garés les uns derrière les autres.

Il se leva, se mit torse nu, et faisant un tour d'horizon, gonfla sa poitrine avec un bien-être évident qui faisait plaisir à voir. Ces visages, ces familles, ces enfants. Autant de regards indifférents. « Plus il y a de monde, moins on existe, pensa-t-il ».

Dix ans auparavant, ils n'étaient que quelques-uns à venir se baigner par ici. Il repéra un touriste en train de bichonner sa voiture, à l'ombre de la forêt.

— Bon ! Restez là. Dans cette foule, je vais sûrement trouver un bon samaritain pour nous dépanner.

Il s'éloigna sur la plage, sans apercevoir au passage Eugène, sa femme et ses enfants, qui gisaient sur leurs serviettes, écrasés de soleil.

À l'abri sous un parasol, coiffée d'un chapeau de paille, Françoise, l'air mélancolique, laissait glisser son regard sur l'autre rive du lac. Elle s'imaginait, gracieuse, traversant la foule, entrant dans l'eau, et marchant vers le large, jusqu'à ce que l'eau lui arrive au cou. Elle ne s'arrêterait pas, on ne distinguerait plus que sa chevelure rousse déployée flottant à la surface, semblable aux méduses échouées sur les plages désertes de l'hiver. Un pleur de bébé la sortit de sa rêverie. Elle jeta un œil morne à ses garçons vautrés le nez dans leurs serviettes. « Ils vont bien finir par avoir faim, ils finissent toujours par avoir faim. C'est quand ils ont faim que je commence à exister. »

— Vous allez dormir toute la journée ? demanda-t-elle sans espérer de réponse. Au lieu d'aller traîner la nuit je ne sais où...

— On est allés chasser... grommela Pierre-Marie sans bouger.

— Ah oui... et qu'est-ce que vous avez ramené ?

— C'est pas le gibier qui compte...

Elle ne comprendrait jamais l'instinct sanguinaire de l'homme. Elle se désolait de n'avoir eu que deux garçons de cet homme, qui au fil des années était devenu un mari comme les autres. Elle tapa sur le ventre d'Eugène, allongé sur le dos, une carte IGN déployée sur le visage. Il rattrapa d'une main sa paire de lunettes métallisées et grogna.

— J'ai faim.

Françoise réagit aussitôt, tira la glacière et commença la distribution. Pierrot se mit à genoux en la gratifiant d'un merci. Le bruit du papier alu décida Pierre-Marie, qui mordit dans sa pitance à pleines dents.

— Pourquoi vous n'allez pas vous baigner ? Je suis sûre que l'eau est bonne.

— C'est nul ici, répondirent en chœur les garçons.

Elle haussa les épaules et sortit une canette qu'elle posa sur la peau d'Eugène. Un tressaillement comique parcourut son corps.

— À quoi tu rêves ?

Il chaussa ses lunettes en se redressant d'un coup.

— À un monde meilleur.

Elle observa son mari qui décapsulait sa bouteille avec les dents, en regardant le paysage. Sans le quitter des yeux, elle dit avec certitude.

— T'as eu une bonne idée, c'est joli ici.

Eugène lui sourit, lui proposa la première gorgée, qu'elle repoussa. Il but la moitié de sa bière d'une traite, et s'étrangla en avalant de travers. Paniquée, elle lui tapa dans le dos tandis que ses enfants se moquaient de lui. Sous ses lunettes coulaient des larmes d'irritation. Le pauvre homme, toussant et crachant, rougissait en jetant des regards haineux aux voisins qui l'observaient en coin. Enfin, quand il eut reprit son souffle, il pesta à haute et intelligible voix.

— On peut crever sur pied, y'en a pas un qui bougerait son cul...

Françoise ne l'écoutait pas, elle venait de comprendre la raison de sa maladresse. Son mari et ses deux garçons avaient l'air si mal à l'aise qu'elle avait suivi leurs regards, et venait d'apercevoir le garçon aux lunettes métallisées. Assis dans le sable, il semblait regarder ostensiblement dans leur direction.

Alice et Isabelle avaient enfilé des maillots de bain. Finalement, leurs mésaventures étaient presque oubliées. Elles étaient sur une plage, il faisait beau, elles avaient de la crème solaire en quantité, et le chef de famille prenait enfin les choses en mains. Néanmoins, Alice le surveillait de loin, en train de parlementer avec un touriste sur le parking.

— Moi je veux bien vous en vendre, si vous avez de quoi siphonner, conclut l'homme à peine poli.

— Ah... répondit Julien, qui, après son quatrième touriste, commençait à se décourager.

— Revenez me voir, si vous trouvez un tuyau ; et un jerricane.... ajouta le type.

Tous ces cons en avaient vraiment rien à foutre de nous, criait la voix intérieure de Julien tandis qu'il le saluait poliment. Il aperçut Alice, qui avait compris et agitait la tête avec le même air de découragement que lui.

— J'ai chaud, gémit Mattieu, assis en tailleur sur sa serviette.

— On peut aller se baigner ? demanda sa sœur.

— Pas maintenant. Attendez que votre père revienne.

— Tu vas venir te baigner avec nous ? demanda Mattieu.

— Non, non, moi je n'aime pas trop ça tu sais, je préfère la bronzette.

Mattieu se laissa tomber d'un coup en arrière en faisant la gueule et mit son casque sur les oreilles.

— Je vais aller nous chercher des sandwiches.

Elle venait d'apercevoir un vieux pick-up faisant office de buvette. Elle prit son porte-monnaie.

— Attendez-moi ici.

Isabelle se pencha vers son frère immobile. Elle lorgna sous ses lunettes pour voir si ses paupières étaient closes, décolla un écouteur et lui chuchota à l'oreille.

— Tu dors pas.... Tu viens nager avec moi ?

Il ne réagit pas.

— Tu préfères te transformer en rôti... L'aigle va venir t'emporter quand tu seras bien cuit...

Il souriait en continuant à faire semblant de dormir.

— Mmm... Imagine... ça doit faire du bien... de l'eau fraîche...

— Laisse-moi. J'ai encore sommeil.

Elle lui confectionna un chapeau avec son tee-shirt pour le protéger du soleil.

— Bon... Je vais piquer une tête et je reviens. Ok d'acc ?

— Ok d'acc...

Il tendit les lèvres en cherchant son visage pour un bisou, mais elle était déjà loin.

♠

Alice contournait les corps, foulait le sable avec nonchalance, la chaleur du soleil cuisait délicieusement ses épaules. Pourtant, elle ne se sentait pas vraiment sur cette plage. Où était-elle ? Les choses se précipitaient semblait-il. Au juste, quelles étaient ces choses ? Ce qu'elle ne maîtrisait pas, c'était la crue irrépressible qui la dévastait jour après jour. Au début, elle avait cru être enceinte. Frayeur vite passée. Elle savait bien au fond d'elle-même que son corps s'y refuserait. Plutôt périr qu'enfanter de nouveau. Ceux qui ont tout perdu savent que la fin existe. Sa vanité de médecin du monde lui était devenue inutile. Elle pensait connaître ses limites. Et bien non. Malgré son intervention, le bébé n'avait pas pu s'en sortir. Mais qui aurait pu se douter, que ce baiser mortel, n'était pas le premier pour elle ? Depuis l'instant où elle s'était retrouvée abandonnée dans la cafétéria, les images lui revenaient en cascade. Elle ne voulait pas lutter contre la colère, le regret, la honte. Les lèvres de l'enfant lui avaient insufflé la clairvoyance. Sur la route de leurs vacances idylliques, le mensonge de sa reconstruction se pavanait devant elle, et chaque événement malin, chaque peur du petit aveugle rejaillissait dans son cœur. Qui pouvait deviner que, malgré la beauté de ce baiser de survie, elle avait franchi une porte du temps à rebours ? Cette heure interminable sur le bord de la route, battue par la pluie, à quatre pattes dans la voiture écrasée, ses lèvres scellées à celles de sa fille ensanglantée.

Son combat contre la vie qui s'enfuyait dans la nuit. Les yeux sans éclat de son enfant, quand les secours arrivèrent, trop tard. Ce combat, elle savait qu'elle ne l'achèverait jamais. C'était ça, la crue qui la bouleversait. Ballottée comme un fantôme au milieu des urgences, la colère d'avoir dit oui à n'importe quoi, signant les papiers que les médecins lui glissaient avec leurs airs misérables. Et la honte de s'être laissée séduire par le regard triste de cet homme, qui lui avait tenu la main le temps d'un café. Comment aurait-il pu deviner ?...

Elle était devant la buvette. Elle leva la tête et aussitôt revint à la vie. Le hasard, quand il se manifestait, était surprenant. Derrière le comptoir de fortune établi devant le pick-up, c'était le patron de la station-bazar, qui lui souriait de ses dents cariées.

— Le monde est petit !...

Elle prit sa place dans la file en lui répondant d'une connivence polie. La femme devant elle se retourna

Françoise avait reconnu la mère de l'enfant aux lunettes. Si ça se trouvait, c'était à cause d'elle que son mari avait failli s'étouffer avec sa bière... Elle se plaça de côté, pour l'observer en douce, et n'y tenant plus engagea la conversation.

— Excusez-moi, ce n'est pas vous qui dormiez sur la plage avec vos enfants ce matin ?

— Oui...

— Ah, il me semblait bien.

Elles se turent. Trois phrases avaient suffi.

C'était plus par la voix que par les mots qu'elles s'étaient d'emblée reconnu une vague complicité. Françoise se disait qu'il suffisait peut-être de peu de choses pour qu'elles sympathisent, et pourquoi pas, deviennent amies. Alice lui parut timide. Elle semblait chercher quelqu'un, là-bas du côté du parking. Le regard d'Alice s'assombrit : elle venait d'apercevoir Isabelle en train de se baigner. À peine entrouvrit-elle les lèvres pour bougonner, que Françoise lui ôta les mots de la bouche.

— Ah les gosses...

— Oui, dit Alice, je viens de lui demander de m'attendre pour aller se baigner...

— Moi je ne sais même pas où sont les miens ! Deux garçons... vous imaginez...

— Mm...

— Quel âge il a, le vôtre ? Je l'ai aperçu je crois... il a l'air tellement... sérieux !

Alice examinait cette femme au ton direct, aux manières rudes qui lui rappelaient quelque chose de sa vie d'avant. Sans réfléchir, elle mentit avec simplicité.

— Dix ans. Il a dix ans aujourd'hui. C'est un garçon spécial...

— Ah...

L'autre la dévisageait avec l'air blasé des gens que rien ne surprend plus.

— Oui... Avec mon mari, nous n'étions pas revenus ici depuis dix ans... c'est une sorte de pèlerinage...

— Ah ?...

L'autre avec sa bouche ouverte sur le néant,

sembla s'étonner de cette confidence incongrue. Alice réalisa qu'elle était en train de divaguer avec une inconnue. Pour se défaire de cette conversation qui n'avait aucun sens, elle plissa les yeux en déchiffrant la carte des sandwiches.

Isabelle émergea de l'étrange silence de l'eau. Elle nagea jusqu'aux bouées et fit une pause. Elle sentait son corps se déployer sous l'eau, ses muscles, ses jambes, ses bras, lui obéissaient à la perfection. Elle voulut repérer son frère dans la foule. Ne le trouvant pas elle fit demi-tour.

Démesurément bombés tel un gros œuf fourmillant de couleurs, le lac et la plage se dédoublaient sur les lunettes de Mattieu. Vaguement attentif, il guettait le retour d'Isabelle en tournant mécaniquement la tête d'un côté, de l'autre. Il cessa de chercher à comprendre ce qui l'entourait. Trop foisonnant, trop bruyant. Il avait faim, il ne saisissait plus trop en définitive la tournure des évènements. Chacun était parti de son côté en le laissant à la merci de n'importe quoi. Cette situation était tellement surprenante, et en contradiction avec ce qu'ils vivaient depuis leur départ... En fait, il trouvait le voyage plus amusant que la destination.

Il mourait d'envie d'écouter encore et encore l'hélicoptère, l'échafaudage, et la respiration tiède de l'Invisible. Non, il se le réservait pour plus tard, dans pas longtemps, mais plus tard. Même si la cacophonie ambiante le perturbait fortement, il ne voulait pas se dégonfler en se réfugiant dans sa bulle.

Soudain, il sentit qu'une ombre s'était arrêtée sur son visage. Quelqu'un se tenait sans bouger, sans rien dire, devant lui ; et s'accroupit. Mattieu chercha le soleil en se penchant, mais la présence s'imposait.

Eugène avait un drôle de rictus. Emprunté, essayant de paraître à l'aise, il se dandinait, les mains sur les genoux, le regard dissimulé par ses lunettes.

— T'as vu ça ? On a les mêmes lunettes toi et moi...

Sa voix sonnait terriblement faux. Pourtant, derrière ses verres métallisés, ses yeux contemplaient l'enfant avec une sincère compassion. Mattieu, refusant de s'inquiéter, ne savait pas quoi dire.

— Tu vas regarder l'éclipse tout à l'heure ?...

La conscience de Mattieu fit un bond ; l'éclipse, aujourd'hui ! La nuit mouvementée l'avait chassée de son esprit. Il palpa nerveusement sa montre.

— Remarque, toi tu n'as pas besoin de lunettes, tu ne crains plus rien...

Mattieu haussa les épaules.

— Les lunettes de soleil c'est encore plus dangereux ! Vous risquez de brûler votre rétine. Il suffit de regarder l'éclipse moins de soixante secondes ; avec des jumelles ou un appareil photo c'est pire, en une fraction de seconde on peut devenir aveugle.

— Dis donc... je vois que j'ai affaire à un spécialiste !

L'homme renifla, regarda alentour pour se donner une contenance. Mattieu restait délibérément figé. Il avait reconnu la voix du père des deux garçons. À présent tout lui revenait avec précision. C'était carrément plus clair que l'enregistrement. De nouveau, il se revit victime de la méchanceté des idiots, du fracas de la porte arrachée, et après le faux départ de l'homme, à la merci de l'invisible menace.

Isabelle nageait en brasse coulée vers la berge, gardant en ligne de mire l'emplacement où devait se trouver son frère à chaque inspiration. Soudain, au moment où elle eut l'impression qu'un homme était en train de parler avec Mattieu, quelqu'un la tira sous l'eau par les jambes.

— Ça va pas non ?

C'était le garçon qui l'avait matée en descendant de son camping-car. Aussitôt, saisie d'une mauvaise intuition, elle chercha de nouveau Mattieu, mais une femme venait de déployer un parasol juste devant leurs serviettes. Furieuse, elle ignora Pierre-Marie, goguenard, qui nageait autour d'elle avec un sourire charmeur. Elle s'enfuit dans un crawl énergique. Le garçon se lança à sa poursuite. Très vite distancé, au lieu de se vexer, il frissonna de plaisir en songeant au corps puissant de la jeune fille.

Malgré la présence insistante, Mattieu était focalisé sur une idée : les lunettes d'éclipse ; pourvu que son père ne les ai pas oubliées !

— On t'a laissé seul ? Pourquoi tu ne vas pas te baigner ?... Je me baladais au bord de l'eau... Je t'ai aperçu... On pourrait blaguer tous les deux... Je...

Mattieu leva soudain la tête vers lui pour l'encourager ; l'homme avait besoin de s'épancher. Eugène, de moins en moins à l'aise, tendit la main pour lui arranger les cheveux, aussitôt Mattieu recula en se raidissant.

— Pardon, je t'ai fait peur... Je...

Eugène respirait fort, le front moite. Les muscles de ses mâchoires palpitaient en cherchant ses mots. Mattieu se pencha de nouveau vers lui et huma la mauvaise transpiration de l'homme. Eugène jeta un regard désespéré autour de lui. Toute la plage avait l'air de le surveiller. N'en pouvant plus, il saisit brusquement Mattieu par les épaules et le serra dans ses bras. Le visage écrasé contre la poitrine de l'homme, paralysé par la surprise, Mattieu soufflait, étouffé par l'étreinte d'Eugène qui lui chuchotait dans l'oreille.

— N'aie pas peur mon petit... Je ne vais pas te faire de mal... Juste une seconde, juste comme ça...

Au milieu des estivants, ils avaient simplement l'air d'un père serrant son fils dans ses bras. Eugène avala sa salive. Le soleil lui cuisait la nuque. Le vacarme de la plage et des gens qui s'agitaient autour d'eux le submergeait de tristesse. Tout à coup il réalisa que l'enfant se débattait en gémissant.

Il relâcha Mattieu, se releva en bafouillant une excuse, et s'éloigna rapidement, laissant Mattieu tremblant comme une feuille.

— Mattieu ? !... Ça va ?

Isabelle était enfin de retour. Elle lui reposa la question avec une drôle de voix. Mattieu haussa les épaules, l'air sombre ; ça ne ressemblait à rien de ce qu'il avait vécu la veille, il se forçait à respirer calmement, essayant de ne pas paniquer.

— T'es sûr ? De loin, j'aurais juré qu'il y avait quelqu'un avec toi... On aurait dû me chronométrer, t'aurais vu à quelle vitesse je suis revenue !

— T'as dû te tromper, se contenta-t-il de répondre. Vous avez pris les lunettes pour l'éclipse ?

— J'en sais rien moi ! s'étonna-t-elle.

— Regarde dans le sac ! !

Impressionnée par sa réaction elle obéit et ne trouva rien.

— Elle ont dû rester dans la voiture. C'est pas grave.

— Ah oui c'est pas grave ! ?...

Il se tut, sachant que sa sœur, habituée à ses sautes d'humeurs, le laisserait tranquille. En plus de leurs problèmes, ils ne pourraient pas voir l'éclipse, comme certainement tout les occupants de la plage. Ce serait la honte. Plus les heures passaient, plus une catastrophe s'annonçait.

Finissant de se sécher vigoureusement, Isabelle pesta en s'asseyant à côté de son frère :

— Mais qu'est-ce qu'ils foutent !...

Par jeu, elle lui projeta quelques gouttes avec sa chevelure. Pas un sourire, rien. Sa baignade dans l'eau fraîche lui avait donné un coup de sang, elle ne se sentait pas d'humeur aux jérémiades. D'habitude, son frère se plaignait rarement ; elle réalisa que là, tout de suite, elle avait envie qu'il se dresse sur ses jambes et pique un sprint avec elle jusqu'à l'eau.

Ne pas céder à la peur. Ce type c'était rien. Personne ne le croirait de toute façon. C'était de sa faute à elle qui l'avait laissé seul. À croire qu'elle le faisait exprès. Il ôta ses lunettes pour essuyer ses yeux trempés de sueur et se laissa retomber sur sa serviette. Il remit ses écouteurs et monta le son. Maintenant, il avait envie de réécouter. Il lui semblait ne plus pouvoir se passer de ce mauvais souvenir. Il écouta encore en boucle la terreur de l'Invisible piégé dans le noir, puis baissa progressivement le volume, pour le fondre dans l'ambiance de la plage.

Peu à peu, il se laissa envahir par cette cohue dans laquelle revenaient les mêmes cris, les éclats, les plongeons. Il en faisait une mélasse qui enrobait son cerveau. Il s'imaginait jouant avec de la guimauve, malaxant cette pâte de choses invisibles jusqu'à ce qu'elles imprègnent ses mains, sa peau. Au lieu de se laisser happer par le bruit, c'était lui qui dévorait avec suavité ce qui l'entourait. Enfin, il parvint à se discerner – lui – étendu sur le sable, confondu au sol, en contact avec la terre de la tête aux pieds. C'était ainsi que lui aussi, grâce à son imagination, réussissait à se rendre invisible.

— Comment le saviez vous ? demanda-t-elle, méfiante.

Fier de son effet, le patron de la buvette regardait Alice en préparant ses sandwiches.

— Vous avez dû percer votre réservoir hier en partant. Votre fille, elle a un sacré coup de volant ! Je parie que vous avez pris la mauvaise déviation, sinon je vous aurais croisés hier soir en venant pêcher.

— Vous pêchez la nuit ? s'étonna Alice.

Il y avait bien, entassé dans le pick-up, un fatras ressemblant à du matériel de pêche.

— La nuit tous les poissons-chats sont pris... plaisanta l'homme, qui finalement, n'avait pas l'air mauvais.

— Ne me dites pas que vous avez dormi sur la plage...! intervint Françoise.

Alice ne répondit pas, elle venait d'entrevoir sous un siège l'énorme téléphone par satellite du bonhomme. Son visage s'illumina.

— Vous l'avez avec vous... dit-elle en lui désignant du menton.

— Bien sûr. Besoin de passer un coup de fil ?

Il lui tendit généreusement l'appareil, et lui reprit des mains immédiatement.

— Ah non... Je suis bête, j'ai oublié de le mettre en charge avant de partir... Désolé. Mayonnaise ou ketchup ?

Alice, désappointée, ne répondit pas. Suspicieuse, elle essayait de distinguer sur le boîtier un quelconque voyant de fonctionnement. Françoise sirotait son café et dévisageait sa voisine en guettant un encouragement de sa part.

Elle brûlait d'envie de s'en mêler.

— Vous avez bien du souci ?

— Oui, se contenta de répondre Alice.

— Je peux peut-être vous aider ? Entre femmes... N'est-ce pas monsieur ?

Le patron la regarda d'un air de "de quoi j'me mêle". Alice, sentant l'impatience monter dans la file d'attente, régla ses sandwiches.

— Rien de grave. Mon mari est parti chercher de l'essence. Je me disais simplement qu'en téléphonant à notre assurance...

— Ne vous justifiez pas voyons, la coupa Françoise en lui ramassant une pièce tombée dans le sable, vous savez, pour une panne d'essence... Ils ne vous répondront pas ma belle.

Que cette inconnue puisse l'appeler "ma belle" lui parut à la fois comique et touchant. Le patron prenait la commande suivante, et se désintéressait de leur cas.

— Oh ! J'ai un câble pour l'allume-cigare si vous voulez ! s'exclama Françoise.

— Oh ça n'ira pas, dit le patron d'une voix cassante.

— On pourrait peut-être essayer ? tenta Alice.

Le patron ressortit son appareil pour prouver sa bonne foi.

— Ça n'ira pas, regardez... regardez la prise...

Soudain Alice eut la présence d'esprit de sortir son téléphone de son sac, pleine d'espoir.

— Et le mien... Vous pourriez recharger le mien !

— Faites voir ça... dit Françoise avec le ton d'une technicienne endurcie, ouais, ça devrait aller. Hé bien, elle en a de la chance ! Allez, suis-moi.

Au fond du parking, Julien commençait à ne plus y croire. Personne n'avait envie de le dépanner ; ces gens étaient en vacances. À moins d'avoir une citerne dans sa voiture, pourquoi gâcher son après-midi en proposant d'emmener un pauvre gars peu prévoyant à des kilomètres, sans être certain de trouver une station... Il était sur le point d'abandonner, le sable le gênait dans ses chaussures. Il stoppa et les tapa contre la carrosserie d'un camping-car rutilant. Soudain il le reconnut, pas de doute possible. Intrigué, il se colla à la vitre en grimaçant et sourit en découvrant sur le tableau de bord le même médaillon de saint Christophe que le sien.

— Belle bête, hein ?

Julien sursauta.

— Sacré nom de Dieu ! s'exclama Eugène, je vous reconnais ! Vous êtes mon « bon samaritain ». Vous me remettez ?

Il lui tendit la main. Julien la prit poliment.

— Allez quoi... dit Eugène, je m'excuse. Ça arrive de « péter les plombs » de temps en temps, non ?... Belle journée en tout cas !... On dirait qu'il fait de plus en plus chaud, c'est le barrage, ça doit accentuer l'effet de cuvette.

— Oui, ça doit être ça...

— Et dire qu'ils vont tout faire péter...

— Vous campez au bord du lac ?

— C'est interdit malheureux ! Dès que le soleil se cache c'est le branle-bas de combat, y'a une de ces pagailles vous verrez. Tout le monde veut être remonté avant la nuit pour pas se faire piéger dans ce chemin. C'est qu'il est mauvais !

— Écoutez, je...

— Soyez pas gêné ! Dites...

— J'ai vu que vous aviez un jerricane, hier... Est-ce que par hasard...

— Ah c'est ça ! Moi qui me demandais pourquoi vous étiez en train de fouiner autour de ma beauté...

Il flatta la portière d'une claque avant de se rendre à l'arrière. Il réapparut avec son jerricane.

— Vingt litres, ça devrait faire l'affaire ?

Julien fixait le bidon sans réagir. La solution était aussi simple qu'inattendue...

Attendant une réponse, l'autre penchait la tête, cherchant à attirer son attention.

— Qu'est-ce qu'y a ? C'est pas du gasoil que vous cherchez ?

— Si, si, c'est parfait, c'est... je ne sais pas comment vous...

— Vous faites pas de bile mon vieux. Y'a pas de problèmes, y'a que des solutions ! Non ?... Vous vous rattraperez à l'apéro ! Par contre, je peux pas vous remonter, tous ces cons sont garés n'importe comment, je pourrais pas faire demi-tour. Allez, vous trouverez bien un autre bon samaritain, pas vrai !

Julien se détendait enfin. Il réalisait à quel point

ses nerfs avaient été mis à l'épreuve depuis leur départ. Il avait voulu tout prévoir pour ces vacances pleines de promesses, néanmoins, ça c'était déglingué à un moment donné sans qu'il ne puisse rien y faire. Et même là, dans l'imprévisible générosité de ce type, d'une certaine façon le contrôle lui échappait. Alors, quand il vit arriver Alice et Françoise, tranquillement en train de papoter, il refusa de lutter.

— Dis. C'est comment la mer ? demanda Mattieu avec sérieux.

— Chaque année tu me le demandes... Et d'abord tu sais très bien qu'ici c'est un lac.

Il prit une photo et tendit l'appareil à sa sœur pour qu'elle lui commente l'image.

— Jolie carte postale...

— Allez, dis-moi !

— C'est une plage quoi, un lac... Tu l'as prise de travers, on aperçoit les cascades. Tu te souviens ? On y est passé ce matin...

Mattieu sursauta en tournant la tête brusquement, surpris par des hurlements d'enfants jouant dans l'eau. Elle se rendit compte qu'elle avait un ton désagréable. Qu'est-ce qu'elle avait à bouillonner intérieurement de la sorte ? Elle avait chaud sous ce soleil, et froid également.

— Mais si, elle est réussie ta carte postale, dit-elle gentiment en lui rendant l'appareil... Dis, j'ai toujours voulu te demander, est-ce que tu rêves ? C'est vrai, comment c'est un rêve d'aveugle ?

Que cette question lui paraissait idiote... Encore plus venant de sa sœur. Quelque chose ne tournait pas rond en elle, rien de grave, des changements dans ses gestes, ses intonations plus émotionnelles, par moments.

— Et toi, quand tu rêves c'est comment ?

— Ben ça dépend... Je sais pas, disons que c'est mon imaginaire qui fait travailler mon corps...

— Alice, elle m'a dit que j'ai trop d'imagination.

— Elle sait pas ce qu'elle dit... À quoi ça ressemble, un monde imaginaire qu'on ne connaît pas ?

— Si je le connais ! Mieux que toi des fois !

Voyant qu'elle avait réussi à le blesser, elle pensa qu'elle était vraiment la dernière des imbéciles. Elle l'embrassa et s'allongea sur le dos à côté de lui.

— Tu me pardonnes ?... Ta sœur, elle est conne parfois.

— Si tu le dis, sourit enfin Mattieu.

Les yeux grands ouverts, Isabelle fixait la cime des arbres qui frangeaient le bord du ciel bleu. Soudain, son père, immense, apparut au-dessus d'elle.

— Mission accomplie !

Il déposa fièrement le jerricane d'Eugène. Mattieu renifla immédiatement l'odeur et se dressa sur ses avant-bras.

— Gasoil ! s'exclama-t-il en affichant un visage rassuré.

— Vous voyez : il n'y a pas de problèmes, il n'y a que des solutions !

— Et ta femme ? Tu l'as perdue ? ironisa Isabelle.

— Les gens qui m'ont donné l'essence ont un câble pour recharger le téléphone, elle va revenir.

— Et les sandwiches ?

— Ils arrivent ! Vous m'en laisserez. Moi je remonte fissa à la voiture, et je redescends vous chercher.

— Ramène les lunettes ! ! cria Mattieu.

Il fit un tour d'horizon et remarqua des dizaines de personnes déjà en train de s'amuser avec leurs lunettes de protection sur le nez.

— Les lunettes... Bien sûr !... L'éclipse...

Il se pencha sur eux pour distribuer deux baisers à la volée.

— Pour me faire pardonner, ce soir je nous dégoterai un hôtel confortable, et on se tapera un bon gueuleton ! Ça vous plaîrait ?

— Te perds pas en route ?

— T'en fais pas fiston.

Sur ces bonnes paroles, Julien empoigna le jerricane et s'éloigna vers la forêt.

— Alors ? Ça passe ? cria Françoise à Alice qui montait et redescendait sur le chemin en surveillant l'écran de son portable.

— Non, fit elle déçue, peut-être qu'il n'est pas assez chargé...

Eugène s'approcha.

— Relaxez-vous, profitez de cette belle journée avec votre famille.

— Mais oui, ne vous faites pas de mouron, vous n'êtes pas seule, nous sommes là, renchérit Françoise.

Elle regarda le couple différemment. Ils donnaient l'impression d'avoir besoin de sa présence.

— Je ne pense qu'à moi, je vous fais perdre votre après-midi, s'excusa-t-elle.

Eugène lui prit son téléphone des mains.

— Je vais vous le remettre en charge. Vous le récupèrerez ce soir. Pour que ça passe, il faudra que vous remontiez jusqu'au barrage. Vous tracassez pas, on n'est pas des sauvages, si votre mari n'est pas redescendu à temps on vous remontera, dès qu'on pourra manœuvrer. On va pas quand même pas vous laisser en plan avec votre gosse là... handicapé en plus...

Sa remarque, tombée à plat, prit une dimension particulière dans le silence qui suivit. Alice le dévisageait avec intensité. « Qu'est-ce qu'il avait sur le cœur celui-là ? ».

— Ça ne doit pas être facile tous les jours, non ? ajouta-t-il en allant brancher le portable.

Françoise baissait la tête. Alice voulut répondre avec fermeté. Elle lança à l'homme qui claquait les portières.

— Ça ne change rien à notre façon de vivre, croyez-le bien !

— Ah oui...?

Il revint vers elle, en prenant sa femme par la taille. Les yeux de Françoise rougissaient, Eugène hésitait à continuer. Alice regarda ailleurs.

Devant cette invitation muette à poursuivre la discussion, il se lança.

— Vous étiez vraiment obligés de le garder ?

Désarçonnée, Alice se demandait si elle avait bien entendu.

— Pardonnez-moi... je crois que je n'ai pas bien compris le sens de votre question.

Il avala sa salive, hésita devant l'expression d'Alice qui se durcissait de seconde en seconde. Françoise tenta insensiblement de se dégager, il resserra son étreinte. La femme leva alors les yeux vers Alice, comme si elle la suppliait de ne pas céder à la provocation de son mari. Curieusement, Alice eut pitié de l'homme, il semblait si tourmenté qu'il ne pouvait qu'être sincère. Pourtant, elle se laissa envahir par l'agressivité. Continuant à mentir, ses lèvres se serraient, telles celles d'une mère prenant la défense de son petit.

— Crachez votre venin, on a l'habitude.

— Le prenez pas mal. C'est histoire de discuter, de s'exprimer...

Droite, décidée à l'affronter, elle se tendait irrésistiblement vers son adversaire, le cœur battant de colère.

— Exprimez-vous alors.

— Vous le saviez, qu'il naîtrait anormal ?

— Vous êtes con, ou simplement méchant ?

Il rit jaune, lorgnant des promeneurs. Aveuglé, il se donna une contenance en mettant sa main en pare-soleil. Sous son bras, sa femme devenait molle et sans résistance. Il chercha vers elle un encouragement, mais ne trouva que ce regard vide qui la rongeait parfois. Alice reprit.

— Vous faites erreur. Mattieu était un enfant comme les autres à sa naissance. Il a perdu la vue dans un accident, à dix-huit mois. Il vient d'avoir la chance de bénéficier d'une greffe de cornée. Un enfant de son âge, c'était inespéré. Il se peut qu'il retrouve partiellement la vue.

Eugène siffla d'admiration.

— Vous croyez aux miracles vous...

— Pas vous ?

— Sérieusement, si par exemple, vous l'aviez su avant la naissance, s'acharna Eugène, vous auriez vraiment mis au monde un bébé anormal ?

Elle soutenait son regard sans comprendre où il voulait en venir. Il avait l'air d'un homme malheureux exalté par ses tourments.

— Ça suffit, tu nous emmerdes. Viens !

Françoise le tira, le colosse ne bougeait pas.

— Excusez mon mari, il croit que ses problèmes intéressent le monde entier...

— Oh, j'ai l'habitude, je suis médecin, coupa Alice, j'en ai vu d'autres. Qu'il aille jusqu'au bout si ça le soulage.

— Ah vous êtes médecin... ça tombe bien... lâcha Eugène.

Françoise se détacha et tournant le dos à la discussion, remua du sable de la pointe du pied en contemplant la foule de la plage en contrebas.

Eugène sortit alors de son portefeuille des photos découpées. Parmi celles de ses enfants, il montra un cliché à Alice.

— Nous, dit Eugène avec détermination, on ne saura jamais quel genre de monstre ça aurait pu donner...

Alice se pencha pour déchiffrer l'étrange photo. Ça ressemblait à une photo satellite ; une carte météo de la télé.

— Quand le docteur nous a expliqué l'échographie... que ma femme allait accoucher de ça, moi, je n'ai pas hésité une seconde.

Alice transpirait d'horreur, abasourdie en étudiant malgré elle la réduction de l'échographie que ce cinglé brandissait en trophée.

— Le Bon Dieu nous a donné deux magnifiques garçons... une fille encore, ça aurait pu passer... mais ça...

Il la transperçait. Il la violait. Comment pouvait-il savoir qu'il l'attaquait dans sa chair la plus douloureuse ? Elle cherchait des mots pour le faire taire, il continuait.

— On a fait ce qu'il fallait, non ? Qu'est-ce que vous en pensez, docteur ? Question de lucidité et de courage. Alors vous savez docteur, moi, les prétentieux qui narguent les autres avec leur soi-disant bonheur...

Elle fixa le dos de Françoise. Pleurait-elle ? Comment pouvait-elle supporter ? Alice s'entendit répondre d'une voix sereine.

— Je comprends. Le remords vous ronge. Ça vous met en rage de voir que nous sommes heureux avec un anormal, comme vous dites. Mais... c'est vous, le monstre, cher monsieur... Maintenant je vous préviens : si vous vous approchez de mon fils... C'est moi qui vous arrache les yeux. M'avez-vous bien comprise ?

Oubliant son téléphone, Alice tourna les talons, et drapée dans ses mensonges s'éloigna sur le parking. Elle venait de se prouver une fois de plus qu'elle était devenue une femme en plein désarroi.

Des rangées de baigneurs s'étaient installés sur la berge, arborant leurs lunettes en carton. L'ambiance générale de la plage était devenue sensiblement plus calme. Les doigts de Mattieu cherchaient l'heure sur sa montre. En vain. Il secoua sa sœur, qui grinçait des dents sans s'en rendre compte, assoupie à côté de lui.

— C'est quelle heure ?

— Pourquoi tu me réveilles ?... gémit-elle.

Elle se redressa sur ses avant-bras et, surprise, découvrit Pierre-Marie assis, visiblement en train de se rincer l'œil. Un quart de seconde, elle céda au jeu de la séduction.

— Tu veux ma photo ? lui demanda-t-elle en le provoquant de son indifférence.

Mattieu crut d'abord qu'elle s'adressait à lui, avant d'identifier de nouveau cette note inhabituelle dans le ton de sa voix. Quelqu'un devait remuer du sable avec son pied, à côté d'eux.

— À qui tu parles ?

— J'sais pas, dit Isabelle, encore un dragueur des bacs à sables… Il a l'air muet en tout cas…

Mattieu devinait sa sœur émue, malgré sa grande gueule. Cette situation l'amusa. Il joua le jeu, trop content d'être aux premières loges, et se tourna en direction du dragueur en faisant mine de le surveiller.

Plus loin, surveillant le manège de son frère, Pierrot aperçut l'appareil numérique de l'aveugle posé sur ses affaires.

— Faut pas avoir peur, tu sais il est pareil que toi et moi… Il voit à sa façon c'est tout. Hein mon super frère ?

Mattieu, par défi, tendit la main en direction de Pierre-Marie. Ce dernier lui serra, impressionné par sa précision, et de l'autre main en profita pour s'emparer de l'appareil photo. Tout en faisant mine de vouloir photographier Isabelle, il chercha fébrilement à faire défiler les images stockées dans l'appareil. Mattieu décela immédiatement les manipulations et essaya de récupérer son bien.

— Il va pas te le piquer… plaisanta Isabelle en minaudant devant l'objectif.

Pierre-Marie venait de trouver ce qu'il cherchait : l'apparition nocturne derrière la vitre du monospace. Sur l'écran s'afficha le visage indistinct éclairé par une lampe torche. Il allait presser sur la commande pour l'effacer quand Mattieu réussit à lui arracher l'appareil des mains.

— C'est fragile, dit Mattieu en bougonnant.

— Bon, moi je retourne nager ! déclara Isabelle.

— Tu débloques… ma pauvre fille… laissa tomber sèchement Mattieu.

— Viens avec nous, gros bêta… dit gentiment Isabelle pour se faire pardonner.

Mattieu coiffa son casque pour mettre un terme à la discussion.

Mattieu avait raison, elle faisait n'importe quoi. Mais la chaleur était en elle. Si son petit frère voulait jouer les "boulets" c'était son problème. Elle hésitait néanmoins à le laisser seul. Devant le regard insistant de Pierre-Marie, elle se décida et les deux adolescents se lancèrent dans une course frénétique jusqu'à l'eau.

Pierrot marchait le long de la berge. Quand il les vit s'éclabousser l'un l'autre comme des gamins, il chaussa ses lunettes d'éclipse et alla grossir les rangs des observateurs.

À bout de souffle dans la pente qui n'en finissait plus, Julien arrivait péniblement au sommet du champ de cascades. Au lieu de suivre la route caillouteuse, il avait décidé de couper par les sapins pour arriver plus vite au barrage. Évidemment, il avait oublié ses lunettes de vue et voulant se guider à l'oreille avec le sifflement de la chute d'eau, il s'était perdu plusieurs fois.

Il se retenait de consulter sa montre depuis un moment, la lumière cassante qui traversait les arbres le poussa à s'assurer qu'il n'avait pas trop perdu de temps. Quatre heures ! Déjà ! Il avait marché aussi longtemps sans s'en rendre compte ? Il s'octroya une énième pause, posa son jerricane et s'assit dessus. On apercevait un bout du barrage là-haut entre les troncs... il n'était pas au bout de ses peines.

Tandis qu'il admirait la chute d'eau et le lac à ses pieds, sous son poids, le jerricane glissa brusquement.

— Merde ! Merde, merde !

Julien se précipita dans l'eau, plongeant littéralement après le bidon qui glissait dans la cascade vers le vide. Ils terminèrent leur course brutalement dans un entonnoir rocheux. Le jerricane était coincé la tête en bas et par le trop-plein, l'essence se déversait à gros bouillons dans le torrent.

— Et meeeeerde !!

Son cri de détresse effraya les oiseaux qui l'observaient depuis les branches basses des sapins. Ils se dispersèrent dans le sous-bois en poussant eux aussi de petits cris, puis revinrent examiner de plus près l'homme qui s'acharnait furieusement, à plat ventre dans l'eau glacée.

Enfin, il réussit à le décoincer et se jeta sur le côté avec son bidon comme s'il venait de l'arracher à la noyade. Il ouvrit le bouchon et agita anxieusement le jerricane. Il faisait maintenant trop sombre sous les arbres pour distinguer le niveau d'essence. Au bruit, Julien comprit qu'à cause de sa maladresse, il avait dû en perdre une bonne moitié.

Le soleil de fin d'après-midi frappait Mattieu en pleine face. Au fil des heures, l'ambiance sonore finissait par prendre une tonalité particulière. La chaleur rendait les odeurs poisseuses. Alice était assise auprès de lui. Il percevait, à son silence et à son immobilité, qu'elle était dans un état particulier. Elle devait probablement guetter Julien. Non, dans ce cas elle se serait assise dans l'autre sens, or elle était face au lac et il ne l'entendait pas bouger d'un pouce.

Sa tête à lui résonnait d'une partition cacophonique qui ne s'interrompait plus. Quelque part sur la plage, des jeunes jouaient du *jembé*. C'était le seul son environnant qu'il trouvait agréable. Avec du courage, il aurait aimé leur demander de cogner sur un tambour. Des jambes passèrent en projetant une gerbe de sable. Il tourna la tête et s'inventa la trajectoire de l'enfant.

Il s'imaginait qu'après avoir retrouvé la vue, il pourrait très facilement, rien qu'en regardant, sans bouger, se balader ainsi sur la plage. Ses yeux suivraient naturellement un son, puis un autre. La différence avec aujourd'hui, c'est que les vraies choses existantes le guideraient, et non les représentations invisibles de son esprit. L'atmosphère de la plage lui était de plus en plus étouffante. Les cris se confondaient aux claquements des plongeons, les voix n'étaient plus qu'un brouhaha de volière, et le rythme obsédant des tambours commençait à l'exaspérer.

Le regard d'Alice, assise les genoux serrés entre ses mains nouées, errait sur la foule des baigneurs. Un voile se déposait devant ses yeux, elle se laissait envahir par la torpeur, hypnotisée par la toile bigarrée à laquelle elle ne trouvait aucun sens.

Elle remarqua que Mattieu palpait de nouveau l'heure sur sa montre.

— Tu ne veux toujours pas aller te baigner ?

— Il y a trop de monde.

— Avec ta sœur tu ne risques rien.

— Tu la vois ?

Il y avait une note d'inquiétude dans sa voix. Elle la chercha et la repéra, en train de s'éclipser avec Pierre-Marie derrière un cabanon.

— Oui ça y est, je la vois. Elle a l'air d'être en bonne compagnie... Tu boudes ?

— Non, j'm'en fous.

— Ne t'inquiète pas pour les lunettes, ton père doit être en train de redescendre.

Un ballon rebondit entre les jambes de Mattieu. Il le chercha maladroitement des mains. Un garçonnet s'approchait timidement et n'osait pas le ramasser, dévisageant Mattieu avec crainte. Alice poussa le ballon du bout du pied et le fit rouler jusqu'à lui. Il récupéra son bien et s'éloigna sans cesser d'observer Mattieu.

— Je suis sûr qu'on me regarde... dit Mattieu avec rancœur.

Il fit une vilaine grimace à la ronde. Gênée, Alice lui passa la main dans ses cheveux mouillés de sueur.

— Ça n'est pas très gentil ça, de faire peur aux enfants.

— Moi j'ai jamais peur.

Soudain, surprenant Alice, Mattieu s'allongea de force contre elle, la forçant à déplier ses jambes.

Elle se laissa faire, émue.

— Dis, tu crois que je vais revoir ?

— Je ne sais pas. Personne ne peut le dire.

Elle observait le visage de cet enfant si fragile dans ses bras. Il levait la tête vers elle et elle ne pouvait s'empêcher de fuir son regard.

— Tu me regardes dans les yeux, là ?

Elle ne répondit pas. Elle se rendit compte qu'elle se balançait doucement d'avant en arrière. Elle le berçait. Ou peut-être se berçait-elle. C'était si inattendu que Mattieu se réfugie dans ses bras, en demande d'amour. L'enfant dit doucement :

— Ma maman me manque. Elle me manque beaucoup. Pas toi des fois ?

æ... Si.

Elle allait exploser en sanglots devant tout ces gens, et ils surprendraient son mensonge. Ils comprendraient que c'était l'enfant d'un autre qu'elle tenait dans les bras. Un enfant vivant qui ne la voyait pas.

— Réponds-moi !... Est-ce que tu me regardes dans les yeux ?

Elle fit un effort gigantesque pour ne pas pleurer. Tout son chagrin reflua en elle, la rendant molle comme une éponge. Sans le corps de l'enfant auquel elle se raccrochait, elle aurait sans doute chaviré, et se serait laissée engloutir dans l'abîme.

— Dans les yeux ! cria presque Mattieu.

— Je te regarde, Mattieu, je te regarde, dit-elle d'une voix étonnamment calme.

— Qu'est-ce que tu vois ?

— Rien, Mattieu, je ne vois rien.

— Ah tu vois... Moi je le sais bien que je ne reverrai plus !

Elle hésita avant de se pencher vers lui pour embrasser son front ; il se détourna au dernier moment, et se dégagea brusquement de ses bras pour s'asseoir sur sa serviette.

Vexée, elle le scruta. Il paraissait indifférent à leur bref échange d'intimité. Elle ne ressentait aucune pitié. Elle pensait à elle, à se préserver. La vie était faite de tant d'autres choses que la souffrance. Les gestes quotidiens étaient le meilleur moyen pour fuir les petites tortures de l'esprit.

— Merde... quel con ! dit-elle à voix basse en remarquant les lunettes de Julien dans son sac.

Elle se leva, secoua sa serviette, ramassa les restes des sandwiches et alla les jeter dans une poubelle à la lisière des arbres.

Elle revint d'une démarche traînante. Mattieu n'avait pas bougé, il semblait muré dans une intense concentration. Sans le déranger Alice ramassa son appareil numérique pour le nettoyer du sable. En l'essuyant, elle déplia l'écran et tomba sur la photo nocturne restée affichée. Incrédule, elle examina ce qui ressemblait à un visage avec deux trous de lumière à la place des yeux. Elle le reposa délicatement sur les affaires de Mattieu. Puis elle mit les écouteurs à ses oreilles et s'allongea à son tour. Elle ferma les yeux pour se détendre, et se laissa porter par la musique. Peu à peu, ses doigts qui fouillaient le sable le long de son corps ralentirent leur mouvement.

Dans le casque, la musique s'interrompit et Alice fut surprise d'entendre la voix de Mattieu.

— Mattieu appelle les étoiles, Mattieu appelle les étoiles... est-ce que vous me recevez ? Crr... Crrr... Rapport de mission...

Elle sourit, comprenant qu'elle venait de tomber sur une sorte de journal intime.

— J'ai pas voulu leur raconter... ils ne me croiront pas. Crrr... Mattieu appelle les étoiles... ne coupez pas, il n'y a qu'à vous que je peux parler, il n'y a que vous qui me comprenez...

Alice hésitait à éteindre, elle gardait les yeux fermés, la voix de Mattieu la captivait tant qu'elle sortit ses mains du sable et les recroquevilla sur son ventre.

— Il se croit invisible. Il me poursuit. Il m'en veut parce que je l'ai vu ! Crrr...

Alice vacillait, bouleversée par cet univers intime qu'elle ne soupçonnait pas chez Mattieu. Le Lac Noir où Julien l'avait entraînée refermait son piège sur elle. Le ciel bleu d'orage, dans lequel le soleil allait faire surgir un gigantesque trou noir, l'attirait inéluctablement avec ses hantises. Le barrage, les montagnes, étaient des remparts infranchissables. La voix de l'enfant continuait. Il se confiait à une machine parce que les siens ne l'écoutaient plus.

— Étoiles... écoutez-moi... Je sais que maman est

avec vous… Je veux la revoir un jour. Je veux qu'un jour elle me regarde encore. Les yeux dans les yeux… Étoiles, je vous en supplie ! Si l'Invisible se met entre nous ! Si l'Invisible m'empêche de la revoir, l'éclipse le brûlera en enfer ! Crrr…

Les mots de Mattieu furent coupés par l'opéra. La musique vola les émotions d'Alice avant qu'elle puisse s'en défendre. Les yeux farouchement clos sur ses larmes, Alice monta le volume au maximum pour que les archets griffent son cerveau.

Mattieu appelait sa belle-mère, pris de l'envie soudaine de parler encore avec elle. Mais étendue sur sa serviette, elle restait sourde à ce qui pouvait se passer autour d'elle. Il tâta le sable de la main et ne la trouva pas. Déçu, il demeura assis droit comme un I en attendant qu'elle revienne.

♠

Je suis l'Invisible. Je suis l'immédiat. Je foudroie les liens entre les choses et moi. Comment fixer les images qui nous viennent de loin ? Comment échapper à la peur, la souriante, qui nous attend ? Je suis l'Invisible besoin de lumière. Les jours éteints fouillent le ciel que la nuit retient. Je prie en vain, la vie, ses mains froides, venues pour s'emparer de mon âme désemparée. Obscur, je suis l'Invisible désir vide. J'attends la fin, patiente, sombre.

Julien glissa le jerricane en équilibre sur le parapet et se hissa péniblement, épuisé par la grimpette. Il était complètement défait, par son périple, et surtout à l'idée d'avoir manqué cette première après-midi de vacances auprès de ses enfants.

Il se figea en introduisant la clé dans la serrure du monospace.

— J'avais oublié de fermer ?... Non pourtant.

Stupéfait, il remarqua que son précieux médaillon de saint Christophe n'était plus sur le tableau de bord.

— Je parle tout seul, de mieux en mieux.

Il ouvrit fébrilement son coffre et constata soulagé que son barbecue était toujours là. Mais en ouvrant la trappe pour prendre les lunettes d'éclipse, il ne trouva plus que les emballages vides.

À ce moment, la lumière changea imperceptiblement. Il fit volte-face en se protégeant les yeux avec son bras. Un flottement commençait à se propager. Furieux de manquer ce moment avec son fils, il se précipita sur le réservoir avec son jerricane.

Une ombre enveloppa Mattieu.

— C'est qui ?

Pas de réponse. Quelqu'un s'était de nouveau arrêté devant lui et ne bougeait plus, puis s'accroupit. Mattieu tressaillit en identifiant aussitôt le craquement de l'Invisible.

Ça recommençait ! Instinctivement, l'enfant protégea ses yeux. L'Invisible l'empoigna sous les aisselles et le souleva brutalement vers le ciel comme on le fait pour effrayer les petits. Mattieu laissa échapper un bizarre cri de détresse. Autour d'eux, la foule indifférente se dressait, tournant le dos au lac. Aveuglés derrière leurs lunettes, tous fixaient au-dessus des crêtes, le soleil, dont le bord était lentement dévoré par l'obscurité.

L'Invisible fit demi-tour en plaquant le visage de Mattieu contre lui pour l'empêcher de crier et marcha résolument vers le lac.

De seconde en seconde, une nuit accablante s'abattait sur les silhouettes immobiles, fascinées par le cercle noir en formation. Le changement de température donnait la chair de poule, un murmure respectueux parcourut la plage.

La silhouette de l'Invisible quitta la rive, se laissant avaler par la surface du lac devenue noire et lisse. Mattieu se débattait férocement, l'eau montait rapidement autour de leurs corps. Très vite, ils furent immergés jusqu'à la poitrine , jusqu'à la nuque. L'Invisible continuait d'avancer. Mattieu tordit la bouche pour crier mais l'eau emplit sa bouche.

L'obscurité totale, une fraction de seconde, noya le monde dans la profondeur unique de son cauchemar. Les mains de l'Invisible appuyaient sur sa tête. Il se débattait avec lenteur dans le linceul glacé qui l'ensevelissait. L'Invisible était déterminé à le noyer. Mattieu lâcha un cri dans une nuée de bulles qui frémirent contre sa peau et à ses oreilles.

Un hurlement bizarre et désagréable se perdit dans l'excitation croissante de la plage. La lumière qui revenait progressivement.

Isabelle, en train de flirter avec Pierre-Marie bondit aussitôt en reconnaissant la voix de son frère. Elle surgit du bungalow et le chercha des yeux : plus personne aux serviettes. Elle s'élança comme une folle dans la forêt de silhouettes masquées. Sur son passage, certains tournaient brièvement la tête, trop captivés par la réapparition du soleil.

Au fond de l'eau, leurs pieds heurtaient les rochers sous une fine couche de sable. Les poumons de Mattieu étaient en train de se distordre dans sa poitrine, il devinait l'instant où il ne pourrait plus faire autrement qu'inspirer, et ce serait fini.

L'Invisible dérapa sur les rochers glissants. Tous deux s'enchevêtrèrent dans un même chaos durant quelques instants. Ayant perdu pied, l'Invisible avait lâché sa proie.

Mattieu comprit que son agresseur avait autant peur de l'eau que du noir. Asphyxié, complètement désorienté, l'enfant expulsa sa dernière bouffée d'oxygène. Surgissant dans l'écume, Isabelle colla ses lèvres sur les siennes et le remonta à la surface.

En émergeant, Mattieu inspira l'air avec un cri rauque. Il ouvrit les yeux et crut deviner pour la seconde fois, quelque chose qui pouvait ressembler à de la lumière. Dans un étrange magma contrasté, son imagination recomposa fugitivement la forme d'un visage.

Les gens ôtaient leurs lunettes et se réhabituaient au jour. Des salves d'applaudissements, des cris excités, un vague sentiment païen agitait la plage. Entraînés par Pierre-Marie, Françoise et Pierrot rejoignirent l'attroupement qui se formait sur la berge. Alice avait trébuché dans l'eau et tentait d'atteindre Isabelle en brandissant des serviettes.

Isabelle déposa Mattieu sur le bord et elles le frictionnèrent, tandis qu'il cherchait convulsivement à palper le visage de sa sœur.

— Maman ? Maman ?

— Non, c'est moi, c'est moi... répétait Isabelle en essayant de le calmer.

Furieuse, elle interrogeait le visage d'Alice pour comprendre ce qui s'était passé.

— Je ne l'ai pas entendu partir, je me suis assoupie en écoutant la musique au casque... gémissait Alice, horrifiée par le drame.

— Un enfant, ça se surveille... dit une baigneuse avec mépris.

Au milieu des badauds embarrassés, Mattieu s'apaisait et retrouvait peu à peu sa respiration.

Enfin, il chuchota à l'oreille d'Isabelle.

— Il sait pas nager... il sait pas nager...

— Qui ça ?

— L'Invisible ! Il a voulu me noyer ! Il sait pas nager !

Pierre-Marie, inquiet, demanda à Isabelle.

— Ça va aller ? Tu veux que...

Il se tut aussitôt en voyant Mattieu serrer les dents dans sa direction.

— Je sais qui tu es ! !

Isabelle et Alice étaient sidérées par sa conviction et sa colère.

— Ils veulent me crever les yeux ! Ils me poursuivent ! Hier ils m'ont volé ma canne !

— Mattieu, calme-toi, ne dis pas n'importe quoi... essaya Alice en prenant sa main.

Il la repoussa, crachant presque à son attention.

— Lâche-moi toi aussi. T'es pas ma mère !

Elle découvrit les regards stupéfaits de Françoise et d'Eugène. Pierre-Marie supplia Isabelle.

— L'écoute pas, il y voit rien, y sait pas ce qu'y dit...

— Casse-toi connard ! ! hurla Isabelle.

Vexés, Françoise et Eugène battirent en retraite avec leurs enfants. Et tandis que les gens retournaient à leur place, les deux femmes traversèrent dignement la plage en tenant Mattieu par la main.

♠

En quelques coups d'ailes, l'aigle survola le Lac Noir. Son cri retentit plusieurs fois au-dessus du paysage. Le soleil disparaissait déjà derrière les nuages amoncelés sur les montagnes. Les derniers baigneurs pliaient bagages, et sur le parking sauvage, les autos disparaissaient les unes après les autres dans la forêt.

Avant de démarrer son pick-up, le patron hésita à donner un coup de klaxon à l'attention d'Alice, Isabelle et Mattieu, seuls au milieu de la plage presque déserte. Il haussa les épaules, et dans un nuage de poussière, disparut sur le chemin à flanc de montagne.

Mattieu, le menton rentré sur sa poitrine, était collé à sa sœur. Il se laissait habiller, refusant de répondre à ses questions. Alice avait rassemblé leurs affaires et restait debout dans le sable, observant les derniers véhicules qui manœuvraient pour quitter le lac. Seul le camping-car d'Eugène ne bougeait pas.

Elle se détourna car Françoise venait timidement vers eux.

— Tenez... votre téléphone...

Alice le prit avec un merci à peine audible.

— Vous allez nous coller encore longtemps ? demanda Isabelle d'un ton rude.

Elle montra Eugène, accroupi au bord de l'eau, en train de faire des ricochets avec ses enfants.

— Il attend votre père, comme vous, pour son jerricane. C'est un têtu vous n'imaginez pas.

Mattieu découvrait la voix douce de Françoise. Elle reprit :

— Vous ne voulez vraiment pas qu'on vous remonte à sa rencontre ?

— Non c'est inutile, s'il est redescendu par la forêt on risque de le manquer. Il va forcément arriver. Ne vous en faites pas pour nous.

— Et lui ?... ne put s'empêcher de demander Françoise en désignant Mattieu.

Elle fit un pas vers l'aveugle en se tenant nerveusement les mains.

— Écoute mon grand... Je te présente nos excuses... je ne sais pas ce qui s'est passé avec mon mari, mais tu sais, je suis sûre que c'est un malentendu. Il ne ferait jamais de mal à un enfant. Simplement, il n'est pas toujours... enfin des fois il... Quand il a son idée... personne ne peut...

Soudain c'est Mattieu qui tendit les mains vers elle. Françoise se pencha ; il attrapa son visage et se mit à le palper longuement, puis il recula, la tête penchée sur le côté. Françoise retenait sa respiration, ne comprenant pas ce qu'il cherchait.

— Toi, tu es gentille, déclara-t-il avant de reprendre

la main d'Isabelle, surprise par le regard ému que s'échangeaient les deux femmes.

— Au revoir alors, fit Françoise en s'éloignant à contrecœur.

Après quelques mètres, elle fit brusquement demi-tour.

— Non c'est idiot ! Ne soyez pas ridicules, vous n'allez pas restez ici dans le noir ! Nous on ne part pas ! On va attendre que votre mari revienne, un point c'est tout.

Elle cria avec autorité :

— Les enfants ! ! Allumez les projecteurs, et sortez l'apéro ! On va attendre avec eux !

Alice regarda avec impuissance Isabelle. Françoise leur faisait signe de les suivre. Comme ils ne bougeaient pas, Françoise vint leur prendre Mattieu avec détermination.

— Viens avec moi, mon grand. On n'a qu'à les laisser ici s'ils n'ont pas soif. Tu n'as pas soif toi ? Qu'est-ce qui te ferait plaisir ? Du jus d'orange ? Et pourquoi pas un pastis ? Je crois qu'un verre remettrait les idées en place à tout le monde.

Mattieu souriait et, sous les regards médusés d'Isabelle et d'Alice, il les abandonna et se laissa entraîner sans résistance.

— Allez… ! lança une dernière fois Françoise à ses invités forcés.

Elles ramassèrent leurs affaires et leur emboîtèrent le pas.

Entre le versant abrupt et les sapins à flanc de montagne, le pick-up cahotait d'un lacet à l'autre. Les feux puissants illuminaient la route caillouteuse dans la nuit tombante. Soudain il freina brusquement, enclencha la marche arrière. D'un coup de volant, il recula entre deux talus pour s'engouffrer dans un chemin invisible. À l'abri des regards, il se gara sous un appentis fait de tôles et de planches, coupa le moteur.

L'homme resta un moment à savourer le silence, attrapa une petite caisse en métal sur le siège voisin et entreprit de compter sa journée. Il poussa un soupir de nostalgie en devinant la masse énorme du barrage là-haut au-dessus des arbres. Soudain, il retint sa respiration en entendant quelque chose. Un bruit de cailloux venait sur le chemin. Entre le rideau d'arbres, il vit passer dans la pénombre le monospace, qui redescendait en direction du lac.

La carrosserie s'évanouit dans l'obscurité, et on ne l'entendit plus. Il sembla hésiter, la main sur le bouton du démarreur, puis avec un ricanement désintéressé se ravisa.

Tous les dix mètres, Julien était obligé de stopper brièvement pour vérifier où il allait. Malgré les pleins phares, à cette heure où le jour se confond avec la nuit, sans ses lunettes il avait du mal à distinguer la caillasse qui parsemait la route défoncée de celle du talus au bord du vide. Il était en nage. Sa remontée l'avait mis sur les rotules. Il y avait des années qu'il n'avait pas demandé autant d'effort à son corps. Du moment où il avait commencé à redescendre, il n'avait plus croisé une seule voiture. Roulant au pas dans le noir, il songeait à l'importance que son fils donnait depuis des semaines à l'éclipse ; il avait réussi à gâcher ce moment. Il avançait dans le néant, poussé par ses incertitudes. Il espérait de toutes ses forces trouver encore du monde en bas. Il se promettait de ne plus vouloir jouer au plus fort avec les malignes surprises de la vie. Le cœur battant la chamade, les yeux écarquillés, il progressait penché sur son volant, craignant à chaque virage de rencontrer un obstacle.

Dans la nuit, on ne voyait plus ni la plage ni la forêt, on distinguait le plafond étouffant des nuages entassés entre les montagnes au-dessus du lac. De lointains grondements roulaient quelque part. La petite tache lumineuse du camping-car luisait sur la rive. Le lac, parfaitement lisse, n'avait jamais aussi bien porté son nom, sa surface semblait métallique.

À la lumière des projecteurs, ils avaient sortis quelques verres. Dans une atmosphère glaciale, assis sur des chaises pliantes, ils buvaient du bout des lèvres. Alice et Isabelle ne cessaient de guetter l'arrivée du chemin plongé dans l'obscurité. Elles auraient donné n'importe quoi pour être ailleurs, cette situation devenait absurde et inquiétante. Heureusement, Mattieu semblait calme, il avait fini son verre et sous la table, ses mains palpaient fébrilement sa montre. Pourtant, il suivait précisément la respiration un peu trop forte de l'homme en retrait derrière lui. Arborant un sourire figé, Eugène les observait tour à tour. Il s'était assis sur le marchepied et tenait son plus jeune fils contre lui entre ses jambes. Isabelle n'en pouvait plus de sentir le regard insistant de Pierre-Marie, qui s'activait, préparant le départ du véhicule. Eugène lui désigna une grosse masse pour déloger les cales sous les roues. Le choc fit sursauter Mattieu ; Françoise lui prit brièvement la main.

— Tu as encore soif ? Reprends-en si tu veux.

— Ressers-nous une tournée, dit Eugène.

Mattieu retint le bras de sa sœur pour servir. Les regards de l'autre famille suivaient les gestes précis de l'aveugle. Il prenait les verres qu'on lui mettait dans la main et les remplissait, le pouce à l'intérieur pour détecter le niveau. Ils burent en silence les verres trop remplis. Nerveux, Eugène renversa le sien en le portant à ses lèvres. Il coupa net les sourires moqueurs de ses enfants.

À ce moment, un bruit de moteur surgit des arbres. Le monospace stoppa dans le chemin. Aussitôt Eugène se leva pour accueillir Julien.

— Ma parole vous vous êtes perdu en route ! plaisanta-t-il d'un ton enjoué qui contrastait avec son visage fermé.

— J'en ai bavé pour retrouver le barrage. En plus au retour, j'ai dû faire un sacré détour pour retrouver la bonne route. Merci de m'avoir attendu.

Il déposa le jerricane aux pieds d'Eugène et se précipita vers son fils.

— Mon grand... papa s'excuse... Pourtant j'ai fait de mon mieux pour arriver à temps...

— Tu m'avais promis...

— Je sais. Je sais... En plus je n'ai même pas pu la voir, je n'ai pas retrouvé les lunettes...

— C'est pas grave papa, on en verra d'autres d'éclipses. Viens on s'en va.

— Tu parles qu'il l'a vue... marmonna Eugène.

Tous l'avaient entendu.

— Pardon ? fit Julien.

— Arrêtez de dire qu'il voit, il est aveugle non ?

Eugène sortit de sa poche ses gants de conduite en cuir et les enfila méthodiquement.

Ignorant la gêne générale, il s'adressa à Mattieu en serrant les poings.

— N'est-ce pas petit ? L'éclipse... tu y as vu que du feu ! Pas vrai ?

En reconnaissant le crissement des gants, Mattieu se crispa, et se blottit contre son père.

— Réponds, au lieu de faire le malin.

— Dites donc, qu'est-ce qui vous prend ? avertit Julien, exaspéré.

Alice le retint, tandis qu'Isabelle emmenait Mattieu vers le monospace. Eugène avança sur Julien.

— Viens chéri, on y va... Je t'expliquerai... dit Alice d'une voix angoissée.

— Oui tu as raison, on s'en va.

Françoise, dépitée, les regardait partir. Les portières claquèrent. Pierre-Marie guettait son père, attendant un ordre.

— Allez démarre papa, gémit Isabelle. On fout le camp !

Eugène s'approcha de la fenêtre l'air incroyablement triste, il les dévisagea tour à tour avant de dire simplement :

— Allez... Sans rancune. Rentrez bien. Et soyez prudents sur la route.

Il tendit sa main gantée à Julien qui n'osa pas lui refuser la sienne. Mattieu frissonna de nouveau en entendant crisser le cuir.

— J'ai peur de m'ensabler, dit Julien, je préfère reculer un peu dans le chemin et me ranger pour vous laisser passer devant.

— Pas de problème, répondit Eugène d'une voix neutre.

Il s'éloigna, tandis que sa famille finissait d'embarquer leurs affaires. Avant de s'installer au volant, il montra à ses fils la masse oubliée dans le sable.

— Papa ! Vite ! supplia Mattieu, de plus en plus paniqué.

Les deux moteurs démarrèrent. Le camping-car alluma des phares éblouissants.

— Ho ! ! cria Julien en se protégeant les yeux.

Il commença à reculer prudemment dans le chemin, cherchant un endroit pour se ranger. À l'arrière Mattieu se tassa contre Isabelle qui n'en revenait pas de voir son air terrorisé. Elle lui serra la main sans savoir quoi dire.

— Mais ? ! Papa ! Pourquoi tu recules ? !

— Parce que ! !

Il se rendit compte de son ton cassant et ajouta :

— On ne craint rien, saint Christophe veille sur nous...

En le disant il se souvint que le médaillon avait disparu. Personne ne disait mot, Alice fouillait discrètement du pied sous son fauteuil.

Nez à nez avec le camping-car, ils continuaient à reculer devant Eugène qui restait en pleins phares. Julien lui fit signe de ralentir ; l'autre les colla d'encore plus près.

— Qu'est-ce qu'il lui prend ! !

Le monospace rebondissait dans les ornières.

— On va trop vite ! dit Alice.

— Dites-moi ce qui se passe ! réclama Mattieu, secoué sur son siège.

Tout à coup Isabelle cria :

— Là papa ! Gare-toi y'a la place !

Julien lui obéit et braqua à l'aveuglette. Le monospace se rangea de justesse et le camping-car les dépassa en trombe.

— Voilà ! cria Julien d'une voix étranglée, et bon vent, connard !

— Il est vraiment parti ? s'inquiéta Mattieu.

Isabelle le berça. À l'avant, Julien chercha la main d'Alice. Le visage incroyablement fermé, elle fixait les feux arrières du véhicule. Enfin, quand ils eurent complètement disparu, elle se relâcha et se tourna vers Mattieu. D'une voix presque indifférente, elle le rassura :

— Oui mon chéri, il est parti, ne t'inquiète pas.

— Arrêtez de me dire de ne pas m'inquiéter ! ! protesta Mattieu, vous avez encore plus peur que moi !

Le camping-car avait réduit son allure et gravissait lourdement les lacets en direction du barrage. Dans la cabine, serrés les uns contre les autres, personne n'ouvrait la bouche. Le chemin défilait dans la lumière des phares. Pierrot, blotti contre sa mère, regardait sévèrement son frère et son père. Françoise finit par briser le silence insupportable.

— Qu'est-ce que vous leur avez fait ?...

— Mais rien... maman... répondit d'une voix traînante Pierre-Marie.

— C'est pas à toi que je parle ! explosa Françoise.

Eugène, étreignant le volant, luttait contre des émotions contradictoires. Il aurait voulu faire demi-tour pour implorer leur pardon, et à la fois l'envie de foncer pour les balancer dans le vide le dévorait.

— Qu'est-ce que vous avez foutu la nuit dernière ? continua de crier sa femme. Tu es marteau ou quoi ?

Il la fixa d'un air menaçant.

— Tu veux quitter le navire ?...

Pas impressionnée le moins du monde, elle reprit.

— Je te préviens, si tu embarques encore une seule fois les enfants dans tes théories de facho !...

— Tu sais bien que ça n'a rien à voir !...

— On a dit qu'on en parlerait jamais plus !... Moi je voulais le garder ! !

Surpris, ses enfants observaient leur mère en colère.

— Ne me redis plus jamais une chose pareille ! hurla Eugène en s'agitant devant son volant.

Soudain, Françoise se jeta sur lui, malgré Pierre-Marie, lui arracha son portefeuille, trouva la photo et la déchira en morceaux.

Pris de vitesse, Eugène n'avait rien pu faire. Le silence était retombé dans la cabine.

Ils contemplaient de nouveau le chemin dans le halo des phares. Au bout d'un moment, Eugène voulut réconforter sa femme qui pleurait à chaudes larmes. Un chagrin dévastateur montait en lui. Il se maîtrisa, tenant fermement le volant.

— Tu veux que je conduise, papa ? demanda Pierre-Marie.

Son père ne répondit pas. Dans la pénombre de l'habitacle, les deux garçons, atrocement mal à l'aise, devinaient le corps de leur mère glisser contre sa portière. Françoise ne s'était jamais sentie aussi loin de tout.

Ils arrivèrent au sommet. Le camping-car s'engagea sur le barrage. On ne distinguait plus le Lac Noir. Pierrot ramassa un à un les morceaux de la photo, descendit la vitre, et les jeta par la fenêtre.

♠

Julien transpirait. Dans le dévers où ils s'étaient rangés, il leur était difficile de repartir. Pourtant il fallait sortir de là et faire demi-tour pour reprendre la route.

— Tu veux que je descende pour te guider ? lui demanda Alice.

— Ça ira !

Elle ne se formalisa pas de son ton désagréable. Le demi-tour paraissait improbable, une roue patinait, une autre décollait du sol. Julien s'énervait de plus en plus. C'était la première fois qu'ils le voyaient se mettre dans un état pareil, et dans leur situation, cela leur donnait froid dans le dos. Dans un énième recul pour se donner de l'élan il brisa un feu contre le talus.

— Bordel de merde ! ! Qu'est-ce que j'ai fait au... ! Marre à la fin ! !

Cette fois il perdait visiblement son contrôle. Il accéléra brutalement. Le monospace bondit de l'ornière, s'immobilisa lourdement en travers du chemin. Une moitié du véhicule dépassait au-dessus du fossé. Il avait réussi à les poser sur un rocher qui surélevait la voiture en déséquilibre.

Les roues continuèrent à tourner inutilement dans le vide tandis que le moteur rugissait, jusqu'à ce qu'il s'arrête en toussotant. Ils étaient de nouveau à cours de carburant. Julien hurla :

— La poisse ! ! La poisse ! ! La poisse ! !

Mattieu, impressionné par ses cris se serra contre sa sœur. Julien avait les larmes aux yeux. Il donna un coup de poing rageur sur le tableau de bord et leur montra la jauge avec impuissance.

— Mais comment ça se fait ? demanda Alice, sidérée.

— Je suis tombé dans les cascades, gémit-il, je suis tombé avec le bidon... j'aurais dû t'écouter... Je pensais qu'on en aurait assez... Je suis nul ! ! Pourquoi je nous ai emmené ici ?...

Comprenant la situation, Alice prenait sur elle. Les enfants tendaient vers elle des visages désemparés ; elle ne savait pas quoi leur dire. Ce n'était pas ses enfants. Ce n'était pas sa famille. Cette idée grondait en elle. Elle se retourna vers l'avant, ignorant son mari. La forêt était silencieuse, le camping-car de l'autre cinglé était trop loin maintenant. Ils étaient de nouveau livrés à eux-mêmes.

Le silence était tel dans le cocon qu'on devinait le bruissement lointain des cascades. Chacun essayait de dominer sa respiration qui s'accélérait. C'était la manifestation d'un danger imprévisible qu'ils commençaient à craindre de nouveau.

Isabelle se rapprocha autant que possible de son

frère, cherchant une expression sur son visage, mais Mattieu s'enfermait peu à peu dans un mutisme inquiétant. Il tressaillait au moindre bruit. Pour la première fois, sa peur était tangible.

— Ne crains rien, souffla Isabelle, on est à l'abri dans la voiture. On commence à avoir l'habitude non ? Hein papa ? Tu voulais de l'aventure, alors autant y aller carrément.

Son père avait l'air hors circuit pour l'instant ; elle retrouva du courage en s'attribuant la responsabilité de la famille. Elle décida de les convaincre que ce n'était qu'un nouvel ennui passager, logique, presque normal.

— On va dormir là, et puis après ? Dès l'aurore, les baigneurs matinaux nous aideront à sortir de ce merdier. Hein papa !...

En réponse, les premières gouttes de pluie se mirent à cogner sur le toit à un rythme irrégulier.

— Oui... finit par dire Julien, oui, on a pas le choix, ta sœur a raison. Qu'est-ce que tu en penses, toi ?

Alice se contenta d'acquiescer. Elle mourait d'envie d'ouvrir la porte, de descendre, et de partir. Tout simplement. Elle pensait trop clairement au leurre de cette rencontre, de cette histoire d'amour misérable, de ce mariage indécent né dans une salle d'attente d'hôpital. Elle repensait à Eugène qu'elle avait traité de monstre. N'était-elle pas aussi monstrueuse, à sa manière, d'avoir laissé faire les choses. Le monde était répugnant. Recommencer. Reprendre à zéro, depuis le commencement.

— Qu'est-ce que tu en penses ? répéta Julien.

Elle devait se reprendre, vite.

— Je vais aller téléphoner.

— Pardon ma chérie ?

— Si. Mon téléphone est chargé à bloc. Je vais monter à pied, avec de la chance ça va passer. Dans ce cas, j'appelle l'assurance pour qu'on nous rapatrie illico presto ! Je remonterai jusqu'à la route, s'il le faut !

— Non, tu restes avec nous dans la voiture. Ne dis pas n'importe quoi voyons...

— C'est toi qui fais n'importe quoi depuis le début ! répliqua Alice en haussant le ton.

Elle se tourna vers Isabelle pour lui demander d'une voix plus calme.

— Je n'ai pas raison ?...

Isabelle fut obligée de la suivre dans son raisonnement.

— Enfin, arrêtez... c'est à moi d'y aller, c'est moi le... l'h...

— Trêve de discussion, chéri. Tu as déjà été au barrage, maintenant tu restes avec tes enfants, moi, je vais nous chercher du secours !

Elle avait empoigné son sac et ouvrait la portière. Mattieu, étonné, se dégagea un peu des bras d'Isabelle pour l'écouter descendre. Aussitôt la voiture bascula en arrière. Julien se rendit compte que malgré son poids, l'équilibre du monospace était précaire.

— Attends ! Prends ça au moins !

Il sortit de la boîte à gants une lampe de poche au look étrange.

— Qu'est-ce c'est ? Une lampe solaire... ?

Il lui fit un pauvre sourire.

— C'est la lumière de mon enfance. C'est une dynamo de vélo, il faut la presser pour la faire marcher. Au moins tu ne risques pas de tomber en panne.

— Merci.

— Attends, je t'allume les phares.

Il les alluma ; la voiture étant en travers, les faisceaux illuminèrent inutilement les arbres dans la pente abrupte.

— Super le Son et Lumière papa.

Alice ne put s'empêcher de sourire devant l'air navré de Julien. Derrière la vitre, elle les regarda longuement. Lui, la contemplait avec admiration. Il y avait un éclat étrange dans les yeux d'Alice. Il lui sembla qu'ils vivaient un adieu dénué d'émotion.

Puis elle s'éloigna.

Mattieu écouta décroître son pas, accompagné du bruit régulier de la dynamo.

— On n'aurait pas dû la laisser sortir... dit-il d'une voix angoissée.

La silhouette précédée du petit faisceau de lumière jaune finit par disparaître dans le virage.

♠

Tout en balayant l'air avec son portable, Alice avançait timidement sous la bruine. Elle se retourna : elle avait déjà passé le premier virage, il n'y avait plus que la nuit derrière elle. Elle inspira longuement pour se donner du courage et se remit en route le bras en l'air. À un moment, son téléphone émit un faible bip. Elle poussa un cri de joie ; dès qu'elle baissa le bras le réseau retomba. Elle décida d'abandonner le chemin pour s'élever plus vite et disparut entre deux virages.

Courbée sous les arbres, elle se concentrait sur la faible tache lumineuse de sa lampe. Le rond survolait l'éboulis humide entre les troncs. Un nouveau bip retentit. Elle sortit sa carte d'assistance de son sac, coincé sous son aisselle, grimpa en équilibre sur une souche et composa le numéro. Elle devait faire tout son possible pour rester immobile car au moindre mouvement, la réception se brouillait aussitôt. Elle dut recommencer plusieurs fois. Enfin, on lui répondit.

S'apprêtant à parler, elle écarta d'un mouvement de tête ses cheveux mouillés par la pluie fine.

En se retenant fermement à une branche, elle

poussa un juron excédé en entendant la boîte vocale.

« Assistance 24/24, ne quittez pas... Assistance 24/24, ne quittez pas.... »

Elle soupira en grelottant et s'arma de patience. Soudain elle réalisa qu'on lui parlait. Elle bafouilla :

— Bonjour madame. Nous venons d'...

— Quel est votre numéro de contrat s'il vous plaît ? coupa son interlocutrice.

Alice retourna entre ses doigts sa carte d'assurance en l'observant d'un air incrédule.

— Le numéro est inscrit au dos de votre carte...

Oui ! Elle était en train de le chercher !

— Ah, ça y est, voilà, je l'ai... Allô ?

Elle donna laborieusement le numéro interminable ; la musique d'attente reprit.

Elle scrutait les arbres autour d'elle. Elle entrevoyait la fin de ces deux jours de cauchemar, mais en même temps, elle se sentait dans une impasse. Elle aussi accusait le coup de la fatigue. Elle lâcha sa branche et donna un coup de lampe à la ronde sur les feuillages luisants de pluie. La voix d'une nouvelle femme sur fond de standard reprit :

— Assistance 24h/24 bonjour.

— Bonjour, nous venons d'...

— Quel est votre numéro de contrat s'il vous plaît ?

— Mais !... Je viens juste de le donner à votre collègue.

La voix annonça une série de chiffres.

— Oui, ça doit être ça.

— Quelle est la nature de votre panne madame ?

Au même moment, elle repensa à ce que lui avait dit Françoise. Sentant l'espoir l'abandonner, elle dit avec le plus d'énergie possible :

— Nous sommes en panne d'essence et...

— Nous ne prenons pas en charge les pannes de carburant, coupa la voix.

— Laissez-moi finir, merde !... C'est beaucoup plus grave qu'une panne d'essence... en fait c'est pas vraiment une panne d'essence, notre voiture est immobilisée...

— Quelle est votre type de panne exactement ?

— Je...

— Veuillez patienter quelques instants.

La musique d'attente reprit. Alice tapa rageusement du pied et manqua glisser de sa souche. Le réseau baissa d'un coup... Elle cessa de respirer dans une plainte poignante. Heureusement le réseau remonta.

♠

Dans le cocon en pitoyable posture, Julien s'était glissé à l'arrière et passait en revue son attirail de survie.

— Comment ça ? « failli se noyer »...?

Isabelle venait de lui conter par le menu leurs mésaventures et il essayait de ne pas s'affoler.

— Mais qu'est-ce qui t'a pris d'abandonner ton frère seul dans la foule ?

— C'est toi qui dis qu'il faut qu'il s'habitue ! répondit Isabelle avec mauvaise foi.

— C'est vrai papa, il a essayé de me noyer.

Le ton grave de Mattieu n'était pas celui d'un enfant.

— « Il » ? Qui ça « Il » ?

— Celui qui me poursuit !

— Explique-toi mon grand... de qui parles-tu ?

L'impuissance et la panique grondait en lui. Isabelle lui montra l'appareil photo.

— Tu sais bien... elle murmura, la vache...

— C'était pas une vache ! ! s'insurgea Mattieu.

— Fais-moi voir.

En quelques gestes précis Mattieu appuya sur les

boutons et, comptant les clichés dans sa tête, afficha une nouvelle fois la photo prise pendant la nuit.

Tandis qu'Isabelle et Julien, perplexes, examinaient attentivement la photo, Mattieu leva son visage vers le haut du chemin et dit d'une voix éteinte :

— On n'aurait pas dû la laisser sortir toute seule dans le noir.

Ils ne relevèrent pas, mais frissonnèrent. En faisant des efforts d'imagination ; oui, finalement, au lieu d'une vache, on pouvait peut-être distinguer un visage, avec deux trous de lumière à la place des yeux.

♠

— Voilà, un dépanneur va se mettre en route madame. Souhaitez-vous poursuivre votre séjour ou être rapatriés.

— Je veux rentrer chez moi ! cria Alice.

— Un instant je vous prie, je consulte mes données.

La maudite musique recommençait. Elle en avait plus que marre de cette vie de merde. Soudain elle se rendit compte que depuis un moment, sa lampe éclairait à travers les feuillages quelque chose qui ne ressemblait ni à de l'écorce, ni à des feuilles. Elle fronça les sourcils ; la musique cessa.

— Nous sommes désolés madame, je n'avais pas vu... vous n'avez pas de Contrat Plus.

— C'est à dire ? demanda-t-elle en se retenant de hurler.

— Le contrat que vous avez souscrit n'est pas un Contrat Plus. C'est à dire qu'étant donné qu'il n'y a ni décès, ni blessés, nous pouvons uniquement prendre en charge le rapatriement du véhicule, dans le cas où la panne n'excède pas le niveau J.

— Espèce de connasse ! ! Notre voiture est en

bouillie ! ! Ma fille est entre la vie et la mort ! ! Envoyez-nous les pompiers, les flics, je sais pas moi ! L'armée !...

Le téléphone émit un long bip. Désemparée, elle contempla le niveau du réseau à zéro, puis avec fureur, projeta le mobile de toutes ses forces dans le noir. Il s'écrasa avec un craquement sinistre contre un tronc.

Alice respirait de plus en plus mal, la pluie lui coulait dans le cou, dans sa bouche entrouverte. C'était beaucoup trop à assumer. En voulant descendre de son perchoir elle glissa dans l'éboulis.

Quelque chose venait de céder en elle. Recroquevillée sur les cailloux, elle pleurait sous la pluie. À quatre pattes sous la pluie. Tout recommençait. Son enfant en train d'expirer dans ses bras. Les secours qui n'arrivaient pas.

Elle pleura, pleura, jusqu'à ce que la raison lui revienne. Il n'y avait pas d'enfant, il n'y avait plus d'enfant. C'était stupide d'avoir bousillé son téléphone. Elle était tombée d'un mètre de haut, rien de grave. Elle tâta ses genoux écorchés et essuya ses mains. Son sac s'était renversé, elle trouva la lampe, heureusement intacte et la pressa fébrilement en se relevant. Et là, par terre devant elle, le faisceau balaya quelque chose de blanc. Interloquée, elle se baissa et ramassa la canne blanche de Mattieu.

Un vertige électrisant la fouetta de haut en bas. Elle l'observa longuement et la fourra machinalement dans son sac. Puis se souvenant de ce qui avait attiré son attention, elle fouilla les feuillages de sa lampe.

Ce qu'elle identifia en premier, ce fut le son plus métallique de la pluie. Elle s'approcha en écartant les branches et découvrit le vieux pick-up.

Tressaillant au moindre bruit autour d'elle, les jambes flageolantes, elle s'abrita de la pluie sous l'appentis. Sa lampe fouilla les casiers de bois alignés derrière la voiture. Il y avait de vieilles cannes à pêche rouillées, des outils, un peu de bric-à-brac, et une grande hache plantée dans un pilier. Elle approcha sa lampe de la vitre et grimaça en apercevant un de ces maudits médaillons de saint Christophe aimanté sur le tableau de bord. Un casier de pêche encore humide était posé devant un siège. À côté, il y avait une autre de ces paires de gants de cuir. Sans bruit, elle monta et referma la porte avec précaution. Elle venait de voir le cordon du chargeur qui pendait après l'allume-cigare. Furieuse, elle continua à fouiller, quand soudain, son regard tomba sur le gros bouton du démarreur. Pas besoin de clé de contact. Paralysée par cette découverte, elle restait assise derrière le volant. Il n'y avait qu'un geste à faire et ce serait terminé. Elle tendit la main, posa son doigt sur le bouton ; son bras tremblait. Tout son corps tremblait. De l'autre main, elle continuait à actionner la dynamo et éclairait la forêt alentour. Les arbres tremblotaient dans le faible faisceau de la lampe. Le bouton du démarreur. La lampe. Ses mains. Sa tête lui faisait mal à hurler. Son corps refusait de la suivre. Son cœur.

♠

Julien faisait défiler les photos sur l'écran. Malgré ce que sa raison lui répétait, il cherchait à comprendre où Mattieu avait pêché ces idées. Soudain apparut la photo prise par les garçons dans les toilettes.

— Qu'est-ce que c'est que ça ? C'était quand ?

— C'est les toilettes pourries, reconnut Isabelle, qui t'a pris en photo ?

On voyait bien sur l'image que Mattieu, dos aux pissotières, avait peur.

— Enfin, bredouilla Julien, pourquoi personne ne m'a rien dit ? Et toi Mattieu, pourquoi tu ne m'as rien dit...?

— C'est les garçons... Ils m'ont volé ma canne ! Vous ne me croyez jamais... gémit Mattieu au bord des larmes.

Julien examinait la photo de près. Le flash qui se reflétait dans le miroir masquait les photographes. Sur le bord, il remarqua quelque chose.

— Il y a une fonction zoom ?

Le doigt de Mattieu lui montra.

— Qu'est-ce que t'as vu ? fit Isabelle en se penchant avec lui sur l'écran.

— Qu'est-ce que t'as vu ? fit la voix de Mattieu en écho.

— Je sais pas, là, on dirait...

En zoomant sur le miroir, dans le reflet de l'échafaudage, derrière une bâche en plastique, on distinguait la forme d'un visage. Malheureusement à cette définition, impossible d'en être certain et encore moins de l'identifier.

— Non, c'est rien, conclut Julien en l'éteignant.

Isabelle comprit qu'il ne voulait pas envenimer les choses dans leurs esprits. Mattieu rengaina son appareil à sa ceinture et vérifia son équipement, comme un cow-boy avant l'attaque du convoi. Il fixa le côté, guettant quelque chose.

— Chut ! leur fit-il.

Il s'immobilisèrent, scrutant la vitre totalement noire dans laquelle se reflétaient leurs visages indécis.

— Elle ne revient pas... gémit Isabelle.

— Qu'est-ce qu'il y a Mattieu ? demanda doucement son père, tu as entendu quelque chose ?

— Il ne pleut plus, répondit l'enfant.

♠

Alice avait sorti son porte photos en cuir rouge. Assise derrière le large volant du pick-up, elle ne pensait plus à rien. C'était elle qui avait pris la photo ce jour-là. Un jour simple de bonheur à trois. Son mari et sa fille souriaient devant l'objectif. La grâce de leurs sourires. C'était sa photo préférée. Quand elle la fixait longtemps, elle arrivait à regarder sa fille dans les yeux ; à force ce papier froid lui procurait un bonheur intense. Mais cette nuit, l'image entre ses doigts tremblants était sans vie. Elle était au bout du rouleau. Elle essuya les gouttes de pluie sur leurs visages, approcha la lampe et se pencha sur eux. Rien à voir avec les vieilles photos d'albums qui semblent ressusciter le passé. Le passé, elle y avait encore un pied, et des liens tentaculaires s'agrippaient à elle, la tiraient vers l'abîme. La fureur qui la tourmentait depuis le marchandage païen la dévastait. Trop de douleur. Son regard tomba sur le rétroviseur. Pétrifiée, ses lèvres se serraient convulsivement d'horreur alors qu'elle voyait son reflet lui parler. Elle laissa tomber la lampe entre ses pieds. Que cherchait à lui dire cette femme au regard accusateur ? Que la folie la guettait ?

Dans le noir complet, elle s'attendait à voir surgir autour d'elle les pires fantômes. Le vent agitait les feuillages. Le vent ? Elle se moquait de ce qui pouvait arriver. Que l'Invisible se montre enfin. Elle ne résisterait pas, qu'il la punisse. Elle serra sur son cœur la photo de ses amours perdues et levant les yeux vers les cieux noirs, sentit son visage se tordre dans la douleur d'un cri qui n'arrivait pas à sortir.

♠

Plus rien ne m'atteint. Je suis le dernier recours. La fin du monde, c'est moi. L'abîme est le rempart qui me cerne. Je ne sais plus. Ne pas céder, ne pas céder. La peur ne mène à rien. Tu es forte. Ne traîne pas ici. Ça pue la mort.

Julien vérifia nerveusement si les portes étaient verrouillées.

— Tu crois qu'il lui est arrivé quelque chose ? lui murmura Isabelle.

Il allait dire des mots rassurants quand ils entendirent monter au loin un interminable hurlement de douleur.

La voix d'Alice dominait les bruits de la nuit. Entre les versants sombres, sous un plafond de nuages de plus en plus bas, le paysage se figea.

Julien serra ses deux enfants contre lui sous la lumière jaunâtre du plafonnier. Glacés par cet horrible cri qui signifiait peut-être le pire, ils fixaient la crête des arbres éclairés par les phares. Quand le silence retomba à l'extérieur, le cri déchirant continua à résonner dans leurs esprits.

— Tu crois qu'elle s'est fait attaquer elle aussi ?... Tu crois qu'elle a pu téléphoner ?... Qu'est-ce qu'on va faire papa ?... Qu'est-ce qu'on va faire ?

Il scruta le visage bouleversé de sa fille, et celui, impassible de Mattieu. Ils comptaient sur lui. Tout dépendait de lui à cet instant.

Pourquoi n'avoir pas cru les peurs de son fils ? Qu'est-ce qui pouvait bien se passer en ce moment là-haut dans le chemin ? Pourquoi ? Fallait-il que la folie de ce monde les poursuive eux, jusqu'ici, dans cette épreuve ? Alice était vraisemblablement en danger ; il s'étonna de ne pas ressentir de véritable inquiétude. Il chassa cette pensée désagréable.

— Les enfants... écoutez-moi... Nous ne risquons rien. Il ne lui est sûrement rien arrivé de grave. Elle a dû tomber, comme moi cette après-midi. Elle a dû se faire mal, je vais essayer de la chercher.

— Non ! cria Mattieu en s'agrippant à lui. Reste là, ne sors pas dans le noir, reste avec nous, il faut que tu restes avec nous !

— Il a raison papa ! Reste avec nous ! On s'en fout d'elle !

Il ne fut pas choqué par cette remarque assassine. Le visage de son fils restait impavide, derrière ce masque se bousculaient les pires effrois.

— D'accord, d'accord... on va attendre, elle va bien finir par revenir... Si elle a marché jusqu'au barrage ça peut être long...

— Alors on va dormir ici ? Encore ? Il ne faut pas qu'on passe la nuit ici... dit Mattieu sur un ton catastrophé.

— Quelqu'un a une meilleure idée ? répliqua Julien.

♠

Mattieu, l'oreille rivée au tic tac de sa montre, palpa soigneusement le cadran ; sans bouger la tête, il dit doucement :

— Onze heures.

Julien et Isabelle vérifièrent à la pendule digitale. Mattieu ne se trompait pas. Sans ouvrir la bouche, chacun remua à peine sur son siège en guise de réponse. Leurs yeux brillaient dans le noir.

Emmitouflés dans les couvertures de survie argentées, leurs respirations étaient anormalement fortes. Seul à l'avant, espérant toujours la voir revenir, Julien fouillait l'obscurité du chemin ; les vitres commençaient à se couvrir à l'intérieur d'une buée humide.

Mattieu, entendant Isabelle se ronger les ongles, lui donna une petite tape sur la main. Elle se força à sourire. Heureusement qu'il ne la voyait pas, se dit-elle. Julien, les yeux fatigués, agita la tête pour se réveiller.

— Bon, moi, j'ai envie de faire pipi.

— Ça attendra, papa, fit Isabelle sans le moindre humour.

— Je ne plaisante pas. Je crois que je suis en train de battre le record du monde de la plus grosse vessie.

Espérant les avoir fait sourire, il continua :

— Croyez-moi, si quelqu'un nous voulait vraiment du mal, il y a longtemps qu'il serait passé à exécution...

— C'est parce que c'est à moi qu'il en veut, le coupa Mattieu avec le plus grand des sérieux.

Julien posa la main sur la poignée.

— Bon et bien si c'est à toi qu'il en veut, je peux sortir...

— Ne sors pas papa ! S'il te plaît... supplia son fils.

Julien descendit et la voiture pivota légèrement en craquant. Isabelle n'avait pas osé le retenir. Mattieu verrouilla aussitôt la porte derrière lui.

— Mattieu... ! ? s'insurgea Isabelle.

Entendant un soupir désespéré, elle opta pour une autre attitude.

— T'as raison, enfermons-le dehors un moment, si ça l'amuse de faire le malin. Finalement c'est sa faute si on est là.

— Non, c'est ma faute à moi. C'est à cause de mon anniversaire qu'on est venu ici. C'est parce que je suis aveugle. Il veut me crever les yeux parce qu'il ne veut pas que je retrouve la vue...

— Te crever les yeux... ! Qu'est-ce que tu racontes ? Mon super frère à moi... Si on en est là, c'est à cause de notre couillon de père qui veut absolument nous faire vivre des aventures inoubliables.

Mattieu se redressa.

Julien revenait vers la voiture ; sa silhouette se dessina derrière la buée. Trouvant la portière fermée, il prit sa grosse voix :

— Allons petits cochons ! Laissez-moi entrer dans votre voiture ou bien je vais m'enfler et souffler !

Après avoir joint le geste à la parole plusieurs fois, essoufflé, il s'appuya sur le capot, faisant pencher le monospace vers l'avant.

Son entêtement à se vouloir drôle avait vaguement quelque chose d'héroïque. Isabelle eut pitié de lui.

— Je crois que notre grand méchant loup a besoin de dormir lui aussi... Qu'est-ce qu'on fait ? On lui ouvre ?

Mattieu trouva le bouton et débloqua la portière.

Avant de monter, Julien se retourna, la nuque éclairée par les phares. Il respira profondément, savourant le calme et le silence impressionnant.

— Alice va bien ! Je le sens... Je suis sûr qu'elle va bien...

À l'intérieur, médusés, ses enfants n'en croyaient pas un mot.

— Il n'a rien pu lui arriver de grave. Vous m'entendez ?... Arrêtons de dramatiser... Est-ce que vous vous rendez compte de notre chance au moins ?

Ils l'écoutaient en grimaçant.

— On ne devrait pas laisser la porte ouverte, chuchota Isabelle.

— Nous sommes les derniers veinards à profiter de cet endroit, continuait Julien. Écoutez !... Personne !... Rien ! C'est comme si nous étions seuls au monde ! Qu'est-ce que je dis, on EST seuls au monde !... N'est-ce pas incroyable ?

— Notre père est vraiment marteau... murmura Isabelle, avant de lui ordonner avec autorité : rentre papa ! Il fait froid...

♠

Le bip de l'horloge du tableau de bord confirma l'heure à Mattieu : minuit.

Ils essayaient vaguement de dormir, ils flottaient dans une fatigue confuse. Même s'ils n'espéraient plus revoir Alice de si tôt, ils se refusaient à imaginer le pire.

Julien était passé à l'arrière, auprès de ses deux enfants. Isabelle, la tête coincée de travers contre son épaule, fixait le virage qu'elle finissait par discerner dans le noir en haut du chemin. Pourquoi rester ici à attendre, ne valait-il pas mieux imiter Alice et aller de l'avant ? Elle chercha les yeux de son père et lui désigna la route avec insistance. Il lui fit signe de dormir. Il se refusait à abandonner le navire.

♠

Une heure du matin.

Ils avaient fini par s'assoupir, chacun crispé dans une position torturée pour ne pas perdre le contact avec les autres. Mattieu ouvrit un œil. Réflexe instinctif inutile. Un bruit l'avait sorti de sa torpeur. Le même petit craquement d'os claqua de nouveau à ses oreilles. Il toucha les de sa sœur, mais elles étaient parfaitement immobiles. Il remonta jusqu'au visage : c'étaient ses mâchoires qui craquaient. Agitée par un mauvais rêve, elle dormait en grinçant des dents. Patiemment, il lui caressa la joue. Peu à peu elle s'apaisa et les lugubres craquements cessèrent.

♠

Au bip de deux heures du matin, la tête de Mattieu tomba sur sa poitrine.

Ce furent les gargouillis de son estomac qui le réveillèrent complètement. Il retint sa respiration pour mieux surveiller celle des autres. Il scrutait le silence comme il ne l'avait jamais fait. Pas le silence de leur sommeil, le silence du dehors. Chaque bruit infime venant de l'extérieur était disséqué. La nuit était trop calme.

Il se rappela une année en camping et cet univers nocturne dont lui seul avait la jouissance. Ici ce n'était pas la même impression. Chaque bruit, à l'époque, le faisait sursauter d'une peur sans conséquences. Cette nuit, seule comptait la venue du jour. Un jour sans lumière. Pourtant, il pesait de toute sa conviction sur cette chose qu'on appelait le destin. Une ultime nuit d'épreuves qui le ramèneraient à la lumière ? Il ne demandait pas qu'on lui rende le soleil en entier, au moins la sensation de son aura bienfaisante. Il remerciait cet enfant qui lui avait fait don d'un espoir insensé : revoir un jour à travers des yeux qui n'étaient plus vraiment les siens.

Est-ce que la lumière, c'était la vie ? Est-ce que maman aussi errait dans le noir ?

Il se redressa un peu, le visage collé à la vitre. Le noir derrière la vitre. Même la vitre, il ne la voyait pas. Pourtant, elle existait contre son visage. La vitre le séparait de la nuit où l'Invisible, sans doute, rôdait. Là-haut, le tonnerre gronda longuement. Mattieu continua à lutter contre le sommeil. Ses paupières finirent par se refermer.

♠

Personne n'entendit le bip de trois heures du matin.

Tous dormaient à poings fermés. Les doigts de Mattieu étaient restés figés sur le cadran de sa montre. Brusquement, la voiture se mit à bouger. Elle tanguait mollement, en déséquilibre avec sa roue en l'air, mais l'obscurité totale rendait la chose impressionnante.

Des crissements stridents accompagnaient ce balancement incompréhensible.

Ballottés, muets de stupeur, ils se cramponnaient, émergeant de leur sommeil. Julien mit quelques secondes avant de percevoir le tangage. C'est en voyant la lueur des phares qui balayaient le sommet des arbres qu'il céda à la panique.

— N'ouvrez pas les portes ! ! !

— Qu'est-ce que c'est papa ? Qu'est-ce que c'est ! !

— Je vais voir !

— Non ! ! crièrent en chœur ses enfants.

Il essaya de sortir. Les portières étaient verrouillées. Mettre le contact pour les débloquer lui prit un temps interminable.

Quelqu'un dehors continuait à faire bouger la voiture. Le balancement renversait tout ce qui traînait sur le tableau de bord. Le cocon de métal craquait, en équilibre sur la roche ; on donnait des coups dans les portes et quelque chose rayait la carrosserie dans tous les sens.

Enfin Julien bondit hors de la voiture comme un fou. Immédiatement le remue-ménage s'arrêta. Il perçut une présence qui s'éloignait. Le silence total était revenu. Il faisait beaucoup plus froid qu'auparavant.

— Tu vois quelque chose ?... demanda Isabelle d'une voix blanche.

— Non.

Le monospace avait pivoté et penchait franchement sur un côté. Il se retrouvait maintenant dans l'alignement du chemin. Les phares éclairaient presque jusqu'au virage. Julien fit le tour de la voiture. Même avec de l'essence, il aurait été encore plus difficile de la sortir de là à présent. Il fit quelques pas prudents sur le chemin.

— Papa ! ! Reste avec nous ! ! criaient de nouveau ses enfants.

Il allait faire demi-tour, quand son pied heurta un objet métallique. Désarçonné, il ramassa sa lampe dynamo. Il scruta autour de lui, forcément, celui qui tenait cette lampe quelques secondes auparavant se trouvait encore là. Il l'actionna, elle était tordue mais fonctionnait. Il éclaira la voiture : la carrosserie avait été striée furieusement. On devinait la rage de l'agresseur dans les zébrures incohérentes. Un agresseur qui les suivait depuis deux jours. Peut-être depuis ce drame dans la cafétéria, ou peut-être une vulgaire histoire de chauffard rancunier, ou, ou... ces suppositions se bousculaient soudain dans sa tête sans rien changer à l'affaire. Son fils avait raison depuis le début.

Il remonta, verrouilla. Son regard avait changé. Il n'avait plus rien de l'homme insouciant qu'aucun obstacle ne perturbait.

— Ça va... Ça va aller. Ne craignez rien. On ne craint rien tant qu'on reste à l'abri.

— L'Invisible, il n'y a que moi qui le vois, dit Mattieu avec fatalité.

Soudain, ils entendirent un bruit sur le toit. Ça roulait doucement dans le sens de la pente. Isabelle poussa un léger cri de surprise en voyant rebondir quelque chose sur les essuie-glaces.

— Qu'est-ce que c'est ! demandait déjà Mattieu, en tendant son visage vers le pare-brise.

Ils n'osaient pas répondre, car c'était sa canne blanche qui roulait sur le capot.

— Pourquoi vous me dites pas ? s'angoissait Mattieu.

Pétrifiés, ils fixèrent le chemin. C'était tout ce qu'ils pouvaient faire, surveiller cette unique parcelle de lumière.

Une forme passa fugitivement à la limite des phares.

— Cette fois ça suffit ! cria Julien hors de lui.

Il descendit de nouveau de voiture, déterminé.

— Enfermez-vous !

Il alla ouvrir le coffre, disparaissant de la vue d'Isabelle. Elle réfléchit une seconde, et se glissa vers la porte en bousculant son frère.

— Je vais avec toi papa !

— Non ! dit Mattieu en la rattrapant par une épaule.

Avec une force surprenante il la tira à lui et l'enfonça dans son siège. Obéissant à son père, il claqua la portière et verrouilla.

La tête dressée, ils suivaient les agissements de Julien qu'on entendait farfouiller dans les sacs. Après un silence, il ferma le coffre.

— Papa... ?

Il surgit brusquement derrière la vitre opposée, leur flanquant la frousse sans le vouloir. Il leur fit signe que tout allait bien et s'éloigna lentement sur le chemin.

D'une main, Julien tenait la broche de son barbecue et de l'autre, pompait vigoureusement sa lampe archaïque. Loin d'être sûr de lui, il remontait le chemin en se fiant aux deux rais de lumière des phares. De chaque côté de lui s'étendait une obscurité impénétrable. Il arriva rapidement à la lisière de l'ombre, à l'entrée du virage. Il se retourna vers la voiture : sous la lueur du plafonnier, il distinguait à peine ses enfants qui l'observaient de loin. Julien inspira profondément avant de crier :

— Oh ! Y'a quelqu'un ?... Nous sommes en panne ! Qui que vous soyez, si vous êtes là répondez !... On ne vous en veut pas !... C'est une panne d'essence toute bête !...

Ragaillardi par sa voix, il franchit la limite et s'enfonça dans le noir.

♠

Dans les méandres de ma fureur, je suis rapace. Mon œil perce le sombre, l'hideux. J'oublie la beauté des anges. Que la force ne m'abandonne pas ! Je mettrai le monde en charpie !

♠

La lampe éclairait à peine le sol d'un rond de lumière qui ne trouait pas la nuit.

— Il s'agit certainement d'un malentendu !... On ne vous a rien fait !... Mon fils ne vous a rien fait ! Vous entendez ? Si c'est à lui que vous en voulez, il ne vous a rien fait... Le mieux c'est de s'expliquer !... Non ?... S'il y a un problème, il y a une ...

Subitement, derrière lui, il entendit des hurlements. Des hurlements d'enfants, ses enfants ! Il fit volte-face et dévala le chemin. Dans le virage réapparurent les phares éblouissants. Malgré sa course désordonnée, il devinait leurs silhouettes qui s'agitaient dans l'habitacle en l'appelant. Des chocs métalliques impressionnants retentissaient. Un phare s'éteignit dans un bris de verre. On cognait sur le monospace avec quelque chose de lourd, le fracas de tôles couvrait les cris.

Ébloui par l'unique feu, Julien se réceptionna durement contre la carrosserie défoncée. Il eut à peine le temps de se redresser ; une silhouette lui rentra dedans de plein fouet. Il poussa un cri de frayeur en se débattant contre l'ombre qui le repoussa violemment.

Sa tête tapa contre la vitre. Il frappa du plat de la main en leur criant d'ouvrir tandis qu'on lui cognait dessus. Pendant plusieurs secondes, fascinée par la vision insensée de son père se tordant de douleur sous les coups, Isabelle n'arriva pas à faire un geste. Mattieu se débattait tellement dans ses bras qu'elle revint à la réalité et se rua sur la portière.

S'accrochant au toit, les jambes tremblantes, Julien se glissa à l'arrière en gémissant.

— Referme...

Il s'effondra entre eux. Sa tête ne saignait que très légèrement mais il avait l'air sérieusement sonné. Décontenancée, Isabelle le tira comme elle put. La vitre arrière explosa en pluie sur eux. Et une nouvelle fois un silence de mort retomba.

— Papa j'ai peur !... gémit Mattieu. Papa, si vous ne voyez rien non plus, j'ai encore plus peur !...

Julien réprimait ses larmes. Il était dévasté par le désir de réagir et de tuer celui qui se trouverait sur son chemin, mais il ne ressortit pas, car il avait peur lui aussi.

♠

Il ne restera rien. Je n'aurai plus mal.

Quatre heures du matin.

Il recommençait à pleuvoir. L'unique phare tremblota, s'éteignit.

Consternés, terrifiés, impuissants, ils étaient tassés sur leurs sièges. S'attendant au pire, Julien et Isabelle chuchotaient.

— On est à sa merci, papa... pourquoi tu veux pas m'écouter ?

— Non... C'est certainement un maniaque... Il ne veut pas vraiment nous faire du mal... Ça doit le faire bander de nous savoir terrifiés.

— Qui...?

— N'importe qui... Tous les ans des touristes se font attaquer sur les routes...

— Mais tu viens de dire que c'est un maniaque !

— J'en sais rien ! Que veux-tu que je te dise...

Julien s'aperçut que Mattieu suivait leur conversation avec attention. Il avait perdu ses lunettes pendant l'attaque. Son visage allait de l'un à l'autre, gardant une expression fermée. Il s'adressa à tous les deux.

— Écoutez-moi... Qu'est-ce que vous en pensez ?

Ça va bientôt être l'aube. Il ne nous reste plus longtemps à tenir. On va bien venir nous dépanner... Non... ?

— Et si elle n'a pas eu le temps d'appeler ? Si son téléphone ne passait pas ? Et s'il lui est arrivé quelque chose de très grave ?...

Julien ne trouvait rien à répondre. Isabelle avait retrouvé son énergie et semblait décidée.

— Moi je dis qu'on doit sortir de cette voiture... Sa cible, c'est la voiture. Si on arrivait à se cacher à l'extérieur, ça serait notre seule chance d'attendre le matin sans danger.

— Pourquoi prendre des risques ? essaya sans y croire Julien.

— Si on reste dans la voiture on est foutus... ! insista-t-elle d'une voix étranglée.

— Moi je suis d'accord avec Isabelle, dit Mattieu en le fixant de ses yeux sans regard.

— Tu entends Mattieu ?... Faut qu'on s'bouge, papa !

Julien se rallia à leur décision.

— O.K. deux contre un... On fout le camp !

Il fouilla rapidement dans un sac et sortit une de ses torches.

— On va par où ? demanda Isabelle, surprise de sa réactivité.

— Chut ! À partir de maintenant silence absolu. Compris ?

Avec une précaution infinie, Julien tira sur la poignée.

Dans le silence nocturne, l'infime grincement résonna dans la montagne.

— Merde... Elle est bloquée.

Il réessaya en poussant doucement de tout son poids contre la porte. Elle s'entrouvrit avec un petit craquement sec. Il força un dernier coup et elle s'ouvrit en grand, par miracle, sans bruit.

L'un après l'autre, ils descendirent du monospace, essayant de le déséquilibrer le moins possible. Julien enflamma sa torche qui crépita sous la pluie.

— J'en étais sûre, ça éclaire que dalle... dit Isabelle.

— On se tient par les mains, c'est tout droit... Allez... On y va...

Ils gravirent le chemin d'une dizaine de mètres et ralentirent.

Un bruit de cailloux. Quelque part.

— Chut...non, c'est rien, dit Julien, on continue...

Il redonna une impulsion et ils se remirent en route. À l'approche du virage Mattieu s'arrêta, le visage suppliant.

— Y'a quelque chose devant...

Julien brandit sa torche de droite à gauche, éclairant vaguement.

— Non, je ne vois rien. Dépêchons-nous. Du courage, on monte encore quelques mètres et on se cachera sous les sapins.

Cette fois, on entendit avec précision un bruit de caillasse écrasée.

— On retourne à la voiture ? demanda Isabelle avec angoisse.

Perturbé par leur soudaine panique, Mattieu avait du mal à identifier le bruit.

— Qu'est-ce que c'est Mattieu ? lui demanda son père.

— Je ne sais pas...

— C'était une connerie de sortir... Demi-tour ! ordonna cette fois Julien.

Ils repartirent, courant sur le sol de cailloux cassants et irréguliers. Tenant Mattieu par la main, Isabelle et Julien le soulevaient presque à chaque pas, tandis qu'il essayait de courir de son mieux. Derrière eux le bruit se rapprochait, couvrant peu à peu celui de leurs pas dans le sifflement des respirations. Le monospace n'était pas très loin.

Ils laissaient échapper des respirations affolées à chaque enjambée. Mattieu sentit la main d'Isabelle lui échapper ; elle trébucha et s'étala sur les cailloux. Ils stoppèrent net en entendant ses gémissements.

— Ne t'arrête pas Mattieu ! souffla Julien, encore une vingtaine de pas ! Enferme-toi !

Il lâcha sa torche pour relever sa fille. Dans le virage apparut une tache claire qui descendait vers eux. Ils devinèrent un gros véhicule, moteur et feux éteints, qui dévalait le chemin en roue libre.

— Il va nous écraser... dit Isabelle autant pour elle que pour son père.

Mattieu, les mains plaquées sur la tôle longeait la carrosserie en cherchant la poignée.

Il se retourna en entendant démarrer un moteur inconnu.

La lueur aveuglante des projecteurs du pick-up perça la nuit.

— Vite Mattieu ! Vite !

Il réussit à ouvrir et se glissa à l'intérieur.

Au milieu de la route, Julien et Isabelle agitaient les bras devant la masse éblouissante et grondante. Le claquement de la portière retentit comme un couperet à leurs oreilles. Ils réalisaient l'horreur. Ils n'arrêteraient pas le monstre qui fonçait résolument sur le monospace, dans lequel Mattieu venait de se réfugier.

Oubliant ses genoux qui lui faisaient atrocement mal, Isabelle tira brusquement son père. Talonnés par le véhicule, ils se ruèrent sans espoir vers le monospace.

— Descends Mattieu ! Descends !

À plat ventre derrière les sièges, Mattieu ne comprenait plus et s'en remettait à eux. Il avait cessé d'écouter, de sentir, de deviner.

Au dernier moment, Isabelle et Julien bondirent à l'intérieur à travers le pare-brise en lambeaux.

Sous la poussée des pare-chocs impressionnants, le monospace fut délogé de son perchoir. Isabelle et son père avaient atterri la tête en bas, emmêlés l'un sur l'autre entre les sièges et le volant. Ils se cramponnèrent en entendant l'autre faire furieusement marche arrière avant de revenir. La seconde secousse fut terrible. Les roues du monospace glissèrent d'un bon mètre sur le chemin trempé. Dans la lumière blanche des phares, Julien entrevit la tête d'Isabelle heurter le dessous du tableau de bord et le corps de sa fille retomber, inanimé. Mattieu était en train de rouvrir la portière. Ébranlé par le nouvel impact, il n'arrivait plus à comprendre où il était. Un siège s'était décroché et l'écrasait. Il avait l'impression que son corps était désarticulé, ses mains s'accrochaient à tout ce qu'il trouvait sous ses doigts. Il cherchait d'où venait l'air frais pour sortir de cet enfer.

Accélérant à fond, irrémédiablement, le pick-up les poussait vers le vide.

Julien essayait de freiner en appuyant avec une main ; de l'autre il tournait le volant pour les ralentir, malheureusement la pluie facilitait leur glissade. Isabelle gémissait sans bouger. Julien ne voyait plus son fils. Il donna des coups de pied hystériques dans la portière coincée. Le moteur hurla, les énormes roues patinaient en projetant des gerbes de caillasse. Le talus les empêchait de basculer dans le versant abrupt. Mattieu avait réussi à ramper dans une ouverture. Il comprit qu'il se trouvait dans le coffre et cherchait désespérément la poignée intérieure. Il la trouva au moment où le pick-up revenait pour un dernier carambolage. Les phares explosèrent, les carrosseries se plièrent comme du carton. Défonçant la butte, les deux véhicules dégringolèrent dans la pente.

Tétanisé, Mattieu écouta le bruit de leur chute.

Une suite de fracas d'arbres, rochers, tôle, cris, moteur. Sursautant démesurément à chaque éclat sonore, il réalisa qu'il avait été miraculeusement éjecté, mais que son père et sa sœur venaient de disparaître dans le vide.

Puis un silence impressionnant retomba sur la forêt.

♠

Il y avait les bons jours, et les mauvais jours. La pêche, c'est comme la vie, se disait-il en surveillant d'un œil la ribambelle de bouchons phosphorescents qui se dandinaient au bout de ses lignes.

Il y avait des mois qu'il n'était pas revenu dans ce coin-là. Emmitouflé dans sa parka, à l'abri de la pluie sous une encoignure de rochers, il s'évertuait à ne penser à rien. Le bon côté de la pêche, c'était qu'on ne pensait à rien en pensant à tout. La fin d'une vie, la fin de cette vallée.

L'eau allait submerger la région, mais le lac, lui, resterait un lac.

Il leva la tête sous sa capuche et contempla le versant sur l'autre rive. À ce moment, il aperçut un mince faisceau de lumière balayer le ciel à travers les arbres. Après un long fracas épouvantable, le silence retomba sur le paysage.

Cela lui parut invraisemblable, mais au milieu de ce chaos, il était certain d'avoir reconnu le moteur de son pick-up. Il se leva, oubliant ses cannes à pêches, hésita une seconde, doutant s'il devait courir ou quoi... finalement il décrocha son gros téléphone.

♠

Mattieu avait glissé à peine d'un mètre ou deux du talus dans la pente. Sans aucun repère, il se tenait maladroitement debout dans le dévers.

Complètement désorienté, terrorisé, il se retenait de pleurer. Il essuya la pluie sur son visage, tâta son corps. Rien, pas la moindre égratignure.

Dans la carcasse tordue du monospace, deux corps étaient enchevêtrés. Isabelle revint à elle en entendant les appels lointains de Mattieu. « Il est vivant. » se dit-elle immédiatement avant de penser à elle.

Elle cligna plusieurs fois des yeux pour écarter le cloaque de sang sous ses paupières. « Je dois ressembler à un boxeur. » Comme si la violence de l'accident et cette overdose de danger lui avait donné un humour à toute épreuve. Elle perçut confusément qu'elle se trouvait la tête en bas. Elle essaya de bouger lentement dans le noir ; elle était coincée contre quelque chose de mou. Ce quelque chose gémit avec la voix de son père. Elle fut soulagée, ils étaient vivants tous les trois.

Impossible de comprendre où et dans quelle position se trouvait le monospace à présent.

Le ciel se déchaîna et, dans les éclairs, elle put se composer l'image de leur situation. Les deux véhicules étaient encastrés l'un sur l'autre, entre blocs de rochers et sapins. Au-dessus d'elle se trouvait la cabine du pick-up, vide. Le temps d'un autre éclair, elle vit que la portière était tachée de rouge. Elle voulut crier des mots rassurants à son frère ; en entrevoyant une lueur contourner la masse des carrosseries elle se tut. Entre les branches brisées, elle discerna une main gantée de cuir tenant une de leurs torches. L'ombre se pencha et ramassa quelque chose. Elle reconnut la broche du barbecue. Julien gémit. Aussitôt l'ombre se tourna vers eux. Isabelle ferma les yeux en faisant la morte. Elle repensait à ce que leur avait dit son frère, qu'ils avaient pris pour de la paranoïa. Maintenant l'Invisible prenait vie. Sa torche n'éclairait que les reflets des rochers sur le métal des carrosseries. Elle n'avait pas eu le temps de voir clairement la silhouette, encore moins de reconnaître un visage. L'Invisible passa lentement sa torche à l'intérieur de la carcasse et observa les corps qui semblaient inanimés. Allait-il les brûler vivants ? Elle sentit une hésitation dans la respiration cassée et sifflante du fantôme. Il était certainement blessé. Elle se souvint encore des paroles de son frère et compris que l'Invisible cherchait Mattieu.

— Répondez-moi ! ! implora quelque part la petite voix de Mattieu.

L'Invisible se redressa brusquement en direction de la route. Isabelle s'époumona :

— Cache-toi Mattieu ! ! Cache-toi ! !

♠

Entendant la voix de sa sœur, Mattieu essaya de remonter malgré ses chaussures glissant sur les pierres mouillées. Il changea de stratégie et se laissa aller dans le sens de la pente jusqu'à ce que sa chute soit amortie par des buissons. Il s'en extirpa en déchirant ses vêtements quand un craquement sec de branche, en aval, parvint à ses oreilles.

La silhouette bondissante de l'Invisible s'élançait dans l'éboulis pour l'intercepter.

La foudre tomba sur un arbre et illumina les montagnes, le lac, le champ de cascades. Dans les lueurs finissantes de l'éclair, l'Invisible aperçut sa proie fuyant aveuglément.

♠

Mattieu courait les bras en avant, il se cognait aux arbres, aux rochers. Il lui semblait que le grondement du tonnerre roulait derrière lui. La terreur le rendait insensible aux douleurs. Il stoppa un instant. Détrempé par la pluie, tout se ressemblait. Il se battait contre l'effroi de chaque bruit. Il savait que cette fois l'Invisible irait jusqu'au bout. Il se concentra de toutes ses forces : le fracas de la pluie ne couvrait pas tout. En écoutant mieux, le son était différent d'un côté : c'était la pluie sur la surface du lac. Les cascades. Les cascades qui se jetaient dans le lac.

♠

Isabelle tira hors de la carcasse le corps de son père sous la pluie cinglante. Sérieusement sonné, Julien avait atrocement mal dans un bras, dans une jambe, dans la poitrine, et son crâne lui semblait craquer dès qu'il bougeait la tête. Les mots de sa fille prenaient peu à peu un sens.

— Mattieu... en bas... vite... il va le tuer... Mattieu...

Elle enflamma deux torches, lui en tendit une, et, le laissant reprendre ses esprits, partit comme une furie.

♠

Le chasseur et sa proie continuaient à descendre en direction des cascades. Sous le déluge, l'Invisible avait laissé échapper sa torche qui s'éteignit dans un chuintement. Perdue dans le noir, la silhouette tournait sur place et fouillait la nuit des yeux. L'Invisible reprit sa descente désordonnée, glissant dans la boue, rampant, s'accrochant aux branches.

♠

À force de chuter, de se relever, de heurter à chaque pas un obstacle qui le griffait ou qui le stoppait net, il avait dû s'arrêter pour reprendre un semblant de conscience. Il avait du mal à repérer exactement par où allait surgir l'Invisible. Le tonnerre le faisait trembler. Non, c'était son propre cœur. La poitrine en feu, le cœur au bord de l'explosion, Mattieu ne pouvait empêcher sa respiration de s'emballer de plus en plus. Il ne s'était jamais senti aussi vulnérable. Ses autres sens ne pouvaient plus l'aider.

Il avait les pieds dans l'eau, il avait atteint les cascades. Et après ?...

Il pensa à sa mère et se mordit les lèvres pour ne pas hurler.

♠

L'Invisible s'immobilisa : l'aveugle était peut-être là, quelque part autour de lui. La silhouette tendit les bras au hasard, la broche fouetta la pluie. L'Invisible devinait sa proie à sa portée, toute proche, cherchait à déceler une respiration.

Zébrés de pluie, ils se croisèrent sans se toucher. L'Invisible fit soudain volte-face. Juste devant lui se tenait enfin une petite ombre.

L'Invisible bondit en avant ; un éclair blanc embrasa son visage. Une fraction de seconde apparut un visage, rendu effrayant par cette lumière intense. L'Invisible se redressa en grognant, aveuglé par le flash de l'appareil de Mattieu.

L'Invisible grimaça avec ironie en pensant que l'aveugle ne le reconnaissait pas, ne le voyait pas !

Figé, l'Invisible attendit que ses yeux s'habituent de nouveau à l'obscurité. La broche lui avait échappé ; il tomba à genoux, et à quatre pattes la chercha en pataugeant. Ses mains sautillaient dans la boue comme des crapauds.

Mattieu s'enfuit de quelques mètres ; mais l'autre revenait déjà sur lui, brandissant le pic pour embrocher l'enfant. Mattieu le sentait sur ses talons, aussi handicapé que lui. Il se retourna en braquant son appareil. L'Invisible s'immobilisa dans la lumière aveuglante, la broche accrocha la lanière de l'appareil, le projetant dans la nuit. Mattieu essaya de le rattraper, dérapa sur les rochers. Sa chute faucha l'Invisible qui dérapa aussi sur la mousse.

Ils furent entraînés d'un torrent à l'autre sur les grandes dalles à fleur d'eau.

Le grondement de la chute d'eau leur parvenait progressivement. Leur glissade se termina dans une petite retenue d'eau sur l'à-pic. Chacun se traîna en rampant sur le bord. Mattieu se releva, un pied au bord du vide. Il comprit que le sol s'arrêtait. Il revint sur ses pas et buta contre quelque chose. C'était l'Invisible. Ils étaient face à face.

— Je vous vois ! dit Mattieu avec défi, tremblant de tous ses membres.

L'extrémité de la broche glissa dans son cou, remonta sur sa joue, s'arrêta au bord d'un œil. Mattieu cessa de trembler. Ça y était, ils étaient arrivés à l'instant du renoncement. Cet espoir de revoir était absurde.

— Crevez-moi les yeux !... J'en ai pas besoin !

Il devina, à la pression du pic sur sa paupière, que la main crispée sur la broche hésitait. Les gants humides crissèrent exagérément.

— C'est même pas mes yeux !

L'Invisible s'accroupit. Et Mattieu reconnut le craquement des genoux. Avant que l'Invisible n'ouvre la bouche, d'un seul coup, il reconnut sa belle-mère.

— Je sais, que ce ne sont pas tes yeux, Mattieu...

Elle lâcha la broche et posa ses mains sur les épaules de Mattieu.

— Ce ne sont pas tes yeux... répéta Alice d'une voix entrecoupée de reniflements.

Elle pleurait.

— Tu dis que tu me vois, tu ne vois pas mes larmes…

Mattieu se retenait de pleurer lui aussi. Il était à la fois saisi par la stupéfaction, l'horreur et la pitié. Il comprit soudain : cette cornée, ce don du ciel, c'était celle de sa fille. Les mains d'Alice se resserraient et glissaient lentement dans son cou.

— Regarde-moi, Mattieu… Les yeux dans les yeux… Qu'est-ce que tu vois ?

— Rien…

Mattieu tentait de se tenir droit, cherchant à deviner exactement où ils se trouvaient par rapport au vide. Les mains d'Alice arrivaient sur son visage et le palpait. Il la supplia :

— S'il vous plaît...

Elle ne l'écoutait pas. Sa voix se confondait avec le grondement de l'eau.

— Je ne voulais pas… Je n'étais qu'un fantôme, ballotté au milieu des urgences… J'ai signé leurs horreurs sans comprendre…

Il essaya d'attraper ses mains. Alice se raidit.

— Mais si ! Je vais revoir ! Je te promets ! Je vais revoir ! Si je revois, elle verra avec moi !

— Non ! ! Laisse-là en paix !...

Les pouces d'Alice commençaient à presser sur la peau tendre des paupières.

— Tu te prends pour qui ? Tu t'imagines peut-être que tu vas la ressusciter… ! ? Ma petite fille… Elle avait si peur, dans le noir… Elle m'appelait toutes les nuits… Quand je te regarde, c'est elle que j'entends…

Elle m'appelle dans le noir... C'est elle que je vois ... Je n'ai pas su la sauver...

— S'il te plaît...

Le sang lui montait au cerveau. Les pouces écrasaient ses yeux. Il était impuissant. Il ne paniquait pas. Ni douleur, ni peur. Il ne reverrait pas le doux visage de maman.

Pour la première fois, il était sûr de vouloir sortir du noir.

Il vacillait sous la pression, à la limite de l'évanouissement. Leurs pieds patinaient sur le rebord. Alors, il se souvint que l'Invisible ne savait pas nager. Et, de toutes ses forces, il entraîna Alice avec lui dans le vide.

♠

L'aurore éclairait le sommet du barrage. Quelques pâles rayons griffaient la surface du lac criblée de pluie.

La chute d'eau descendait en plusieurs sauts jusqu'au lac. Enivrés de vertige, ni Mattieu ni Alice ne criaient. Tournoyant dans l'écume, les deux fétus de chair se croisaient, se heurtaient, se frôlaient, avant d'être à nouveau séparés.

Alice se débattait sans forces, donnant à chaque plongeon des coups de griffes pour s'accrocher aux rocs. Mais l'élan qui la précipitait vers l'abîme la ballottait ; idée minuscule, emportée dans les tourments d'une vie devenue cauchemar.

Mattieu avait perdu tout repère, jeté tel un sac d'un rocher à l'autre.

Ils firent ensemble le grand saut dans l'eau noire du lac.

Se débattant à peine dans les remous, Alice aperçut l'ombre de l'aveugle serpenter devant elle, à sa portée. Mais elle, n'avait plus de mains. La mort lui prenait son bon vouloir. Elle poussa un cri aussitôt englouti. Le Lac Noir emplit silencieusement ses poumons. Suivant les méandres invisibles de l'eau, elle descendit. Jusqu'à disparaître dans l'obscurité absolue.

♠

L'abîme est ce cloaque où rôdent la honte et le ressentiment. Suis-je perdue ? Je me noie au fond de moi-même. La photo, leurs visages, je veux te revoir mon amour ! Avant que l'âme de tout m'oublie, avant que la vase ne referme nos yeux. Je ne voulais pas. Je ne pouvais plus. Je ne suis que la déraison du hasard. Je crache sur la clémence. Je crache sur la vie. Punissez-moi !

La lumière du vent, dans ses cheveux, flotte autour de moi ? La voix chantante de l'inévitable ? Suis-je vraiment l'oiseau de feu contre la vitre ? Voir pour recommencer ? Et si le lac était un autre monde ?

«...Embrasse-moi... c'est l'heure... »

L'heure de renaître en pleine lumière. Vais-je enfin revoir ton doux visage penché sur moi ? J'attends ton baiser. J'entends une pluie de douceur.

Mattieu revivait la perte insupportable de maman. Le vide. Le néant. Les longues mains filandreuses de la nuit guidaient sa chute. L'eau noire de la pluie, mêlée à la cascade, lui murmurait douceurs et menaces contradictoires. Ouvrir les yeux ? C'est ça mourir ? C'est tomber ? Disparaître dans les étoiles ? Il était l'invisible oiseau de feu. D'un vol lourd et sans ailes, il perçait la nuit d'un trait inévitable. Le lac était l'œil. Le lac attendait que l'enfant le pourfende, s'y ensevelisse. Le Lac Noir apaiserait la haine et le souvenir.

Là-haut, le jour naissant irisait la surface impassible.

Tout le monde a peur du noir. Curieusement, dès l'instant où il sombra, Mattieu cessa d'avoir peur. Peut-être n'était-ce que pour révéler la première image, celle du chaos et de la douleur.

Pourtant il faut bien ressurgir, il faut bien se hisser hors des profondeurs de l'eau la plus noire. Peu à peu, les remous le délaissaient, il retrouvait la justesse de certains mouvements. Furieusement vivant, il donna des ruades dans l'eau épaisse et poisseuse qui pénétrait par ses narines et sa bouche entrouverte. Il flottait sans souffrance. Le lac contracté autour de lui le remontait des profondeurs. Sa conscience fuyait la pénombre. Et tandis que son corps remontait mollement vers la surface, le grondement de la cascade réveilla la vie tapie en lui.

Au moment où son visage émergea à l'air libre, Mattieu ouvrit les yeux en inspirant une longue goulée d'air ? mélangée à la pluie fine. Il se laissa porter par le lac, tel un présent offert au ciel dans les couleurs changeantes du levant. Ainsi, les yeux écarquillés, il devinait des myriades de sourires dans le crépitement d'étoiles au-dessus de lui. Quand le lac eut retrouvé la grâce du jour nouveau, chacun de ses sens, avec prudence, lui revint. Il respira l'humidité lointaine des arbres, goûta la fraîcheur de la bruine au coin de ses lèvres. Il entendit la vie de la forêt, et soudain, reconnut les humains à leurs éclats de voix.

Il se redressa lentement.

Ses pieds trouvèrent un appui sur le sol et il réapprit à marcher.

Sur la berge, Isabelle et Julien, se soutenant l'un l'autre, erraient en scrutant les eaux. Ils aperçurent enfin Mattieu, qui avançait vers eux.

Il palpa nerveusement le cadran de sa montre.

— C'est l'heure, murmura l'enfant.

Sans la voir vraiment, Mattieu devinait dans cette aube finissante une promesse insensée.

Sa sœur arriva la première et le serra contre elle de toutes ses forces. Il frémit en sentant le contact de son ventre.

— C'est l'heure... Maman.... Qu'est-ce que tu vois ? Maman ?

Son père les avait rejoints et timidement, les enlaça à son tour en répétant :

— C'est nous Mattieu, c'est nous...

L'enfant semblait reprendre ses esprits. Ses doigts palpaient leurs dos, leurs bras, leurs mains. Il leva la tête vers eux avec une expression étrange.

— Est-ce que je vous vois ?... C'est vous ?

— On est là, n'aie plus peur, nous on te voit... sanglota Isabelle.

La pluie éclatait sur sa peau ; son père lui caressait le front ; il avait encore de l'eau jusqu'à la taille. Il renversa sa tête en arrière, et en écarquillant les yeux, il vit les étoiles se décrocher et fondre vers lui. Il sourit interminablement, sans sourciller sous les milliers de gouttes.

— La lumière...

Mattieu s'imagina en filigrane le doux visage de sa mère, penchée vers lui pour le plus doux des baisers.

Il referma les yeux. Et pour la première fois, écouta sans le voir, le bruit régulier de la pluie sur la surface de l'eau.

♠

Pour contacter l'auteur :

dessinemoiunJP.com

Collection Pique Rouge

À paraître

La première mort	Patrick Eris
Pan ! T'es mort	Françoise Laurent
Le bûcher de Saint-Enoch	Gilles Bornais
Muirgen	Alain Trellu

Dans la même collection

Le Diable de Glasgow	Gilles Bornais
(Prix "Griffe Noire" meilleur polar français 2001)	
L'Écho des Épaves	Éric Legastelois
(Prix des Civettes 2002)	
Était-ce Bach ou Beethoven ?	Christine Chauvard
Bienvenue en Enfer !	Smith & Benson
Place des Trépassés	Gerardo Lambertoni
Le Serin de Monsieur Crapelet	Gilles Bornais
(Prix Polar dans la Ville 2002, Saint-Quentin-en-Yvelines)	
La Cathédrale au fond du jardin	Maxime Vivas
(Prix du Zinc 2002, Montmorillon)	
Vibora	Michel Conraux
Sperm River	Victoria Thérame
Saisie	Stéphane Hereng
Sans compétence particulière	Olivier Benel
L'Ombre de Némésis	Jean-Claude Patrigeon
Le Cœur à l'arraché	Jill-Patrice Cassuto
Rue Bicon	Roger Facon

Diffusion ACTES SUD
Distribution UD-UNION DISTRIBUTION

Dans la même collection

Pour Adultes Seulement (Prix de l'Estrapade 1998)	Philip Le Roy
Décorum	Dominique Legrand
Putain de Cargo !	Éric Legastelois
Les Chevaux de Borovetz	Dominique Biton
Couverture Dangereuse	Philip Le Roy
Adieu Gadjo	Éric Legastelois
Gueule de Bois	Éric Tarrade
Scrabble dans le Causse	Marie Farthouat
Clavier Rose	Claude Vermot
Dies Irae	Jean-Claude Patrigeon
Rouge New York	Dominique Legrand
Château Galère	Éric Tarrade

Ouvrages disponibles chez l'éditeur

Maquette de couverture et photogravure
réalisées par

Dandoy CompoGravure
2791, chemin de Saint Bernard
06225 Vallauris Cedex

Cet ouvrage a été réalisé par

FIRMIN DIDOT

GROUPE CPI

Mesnil-sur-l'Estrée

pour le compte des Éditions Atout
en mars 2003

Imprimé en France
Dépôt légal : mars 2003
N° d'impression : 63388